2010

Chère Ma[...]

pour tes quarante ans, David et moi t'offrons de la lecture. De la belle lecture de beau et bon théâtre de Québec. De la lecture pour te détendre, prendre du temps pour toi. Je te souhaite aussi de l'amour, plein d'amour et du bonheur dans ton coeur. Des projets, des voyages, de la passion, des

Lentement la beauté

bons soupers avec des bons amis... tout ce que tu veux !!

Bon 40 ans ma cousine,

Je t'♡

Marie Soleil

XX

2 x 20 ans ! La jeunesse ne part jamais...

David-Alexandre

xxx

Autres titres de la collection « L'instant scène » :

La trilogie des dragons, pièce de Marie Brassard, Jean Casault, Lorraine Côté, Marie Gignac, Robert Lepage et Marie Michaud (en coédition avec Ex Machina)

Robert Lepage, l'horizon en images, essai de Ludovic Fouquet

Le projet Andersen, pièce de Robert Lepage (en coédition avec Ex Machina)

La face cachée de la lune, pièce de Robert Lepage (en coédition avec Ex Machina)

La librairie, pièce de Marie-Josée Bastien

Santiago, pièce d'Hélène Robitaille

Ex Machina. Chantiers d'écriture scénique, essai de Patrick Caux et Bernard Gilbert (en coédition avec Septentrion)

Climat de confiance, entretiens de Peter Brook avec Pierre MacDuff

Gens sans aveu, pièce d'André Ricard

La gloire des filles à Magloire, pièce d'André Ricard

Le Grand Duo. Bouchard et Morisset, pianistes duettistes, biographie par Carole Bessette

Bye Bye Baby, pièce d'Elyse Gasco

Chez le même éditeur :

Robert Lepage : quelques zones de liberté, entretiens menés par Rémy Charest (en coédition avec Ex Machina)

Lentement la beauté

Théâtre Niveau Parking

Michel Nadeau
en collectif avec
Marie-Josée Bastien, Lorraine Côté,
Hugues Frenette, Pierre-François Legendre,
Véronika Makdissi-Warren et Jack Robitaille

Avant-propos et postface
de Gilles Pellerin

Nouvelle édition

L'instant même

Maquette de la couverture et mise en pages : Isabelle Robichaud

Photographies : Louise Leblanc

Distribution pour le Québec :
Diffusion Dimedia
539, boulevard Lebeau
Montréal (Québec) H4N 1S2

Distribution pour la France :
Distribution du Nouveau Monde

L'instant même
865, avenue Moncton
Québec (Québec) G1S 2Y4
info@instantmeme.com
www.instantmeme.com

Dépôt légal – Bibliothèque et Archives nationales du Québec, 2009

Catalogage avant publication de Bibliothèque et Archives nationales du Québec et Bibliothèque et Archives Canada

Vedette principale au titre :

Lentement la beauté

Nouv. éd.

(L'instant scène)
Pièce de théâtre précédée du texte de la nouvelle portant le même titre.

ISBN 978-2-89502-293-0

I. Nadeau, Michel. II. Bastien, Marie-Josée, 1967- . III. Théâtre Niveau Parking. IV. Collection: Instant scène.

PS8639.H42L46 2009 C842'.6 C2009-942080-5
PS9639.H42L46 2009

L'instant même remercie le Conseil des Arts du Canada, le gouvernement du Canada (Programme d'aide au développement de l'industrie de l'édition), le gouvernement du Québec (Programme de crédit d'impôt pour l'édition de livres – Gestion SODEC) et la Société de développement des entreprises culturelles du Québec.

Avant-propos

Lentement la beauté contient, aux yeux de l'éditeur qui en assure aujourd'hui la diffusion écrite, quelque chose qui relève de l'*inauguration,* mot dans lequel on aura reconnu l'augure, le bon augure, l'heureux présage se traduisant ici par l'instauration d'une nouvelle collection, L'instant scène.

Voici une pièce qui, par sa genèse, trouve sa place dans un catalogue d'abord reconnu comme le lieu de la nouvelle. Le phénomène pourra étonner. Mais les artistes misent volontiers sur la surprise, les comédiens n'hésitent pas à tâter du contre-emploi : aussi Michel Nadeau, qui a mis en scène *Lentement la beauté,* et le Théâtre Niveau Parking ont-ils associé les éditions de L'instant même à la publication de la pièce en raison du fait qu'une étape essentielle de sa création aura consisté en l'écriture à relais d'une nouvelle, d'un texte narratif destiné à donner au spectacle en gestation un éclairage oblique et fécond, une texture différente. Les comédiens s'en expliquent dans la postface : leur « détour » par la narration allait créer un vivoir, une table de référence à partir de laquelle il leur était possible, au moment de la mise en forme du texte théâtral, de la *partition* finale, de retourner vérifier les virtualités qu'ils y avaient inscrites, à propos de tel sentiment, de telle réaction, et de les utiliser afin de mener le texte plus loin, c'est-à-dire plus près de nous, spectateurs.

Car c'est de cela qu'il s'agit, pourra-t-on dire, d'une pièce relatant les effets du théâtre sur un homme au mitan de la vie, en proie au désarroi : sa rencontre avec une pièce de Tchekhov le dote d'une capacité nouvelle de compréhension et d'expression. En cela nous ne sommes pas loin de partager, au plus intime, l'émerveillement ressenti par l'homme, c'est-à-dire M. L'Homme, devant ce qui se joue et se donne sous ses yeux. Que le passage d'une rive à l'autre (de la réalité à la fiction, de la fiction à la réalité, du silence à la parole) se fasse par l'entremise d'un écrivain qui a marqué autant l'histoire de la nouvelle que celle du théâtre n'est pas fortuit. Deux mondes en apparence éloignés l'un de l'autre, comme le sont la nouvelle, narrative, et le théâtre, dramatique, se trouvent chez lui placés en contiguïté. La démarche n'est pas commune, et elle n'est certainement pas banale, compte tenu du résultat et de la féconde tension créatrice qu'elle met en place.

Puisse le passage vous séduire à votre tour. Il suffit d'y aller lentement[1] : la beauté est là qui attend.

L'éditeur,
Gilles Pellerin

---

1. Si l'éditeur avait l'outrecuidance de donner un conseil, il proposerait de tout lire d'un tenant, la nouvelle puis la pièce. Ainsi naît un plaisir supplémentaire, lié à la transcription formelle, à la modulation que le langage du théâtre, du spectacle, opère sur le texte narratif. Cela dit, il inviterait aussi à lire le livre puis à voir le spectacle. Puis à faire l'inverse. Puis…

LENTEMENT LA BEAUTÉ

La nouvelle

Je ne donne jamais d'argent à ceux qui quêtent dans la rue. Ni n'achète quoi que ce soit aux vendeurs itinérants de tout acabit. Sept heures quinze, je marche vers le travail. Tout droit. Je profite de la flexibilité de l'horaire variable pour commencer très tôt ma journée et terminer à 15 h 30. D'ailleurs, nous sommes plusieurs tous les matins à nous retrouver à l'arrêt d'autobus, presque toujours les mêmes, venant des quatre coins de la ville, pour nous diriger vers le ministère à bord du 108. C'est un express.

Ce matin-là, j'ai décidé d'acheter *La Quête*. C'est un journal qui parle des gens de la rue, des jeunes décrocheurs et de l'itinérance. La jeune vendeuse était accroupie contre le mur et avait l'air fatigué. Était-elle une décrocheuse en réinsertion sociale ? J'ai pensé que ce serait bien de jeter un coup d'œil à ce journal avant ma réunion. Une grosse réunion. La veille, j'avais été nommé responsable du comité consultatif regroupant onze sous-comités au sein du ministère en vue du vaste projet de réforme de l'appareil gouvernemental qui touche tous les ministères de la fonction publique.

Un mandat énorme.

Énorme.

Deux dollars. Pour chaque journal vendu, un dollar revenait à la vendeuse. J'ai acheté son premier, je crois. Je lui ai souhaité une bonne journée. Je m'en souhaitais une bonne aussi ; personne n'aime ces comités de réflexion qui viennent toujours se rajouter au travail habituel.

La réunion ne s'était pas trop mal passée. Bien sûr l'enthousiasme n'était pas au rendez-vous. Il y avait même de la résistance. Silencieuse mais perceptible. J'étais devant une ligne, je ne dirais pas de mauvaise foi, mais d'incompréhension soutenue, où chacun y allait de son petit commentaire pas toujours constructif. Il me fallut expliquer et réexpliquer les motifs de cette nouvelle réforme – la deuxième en deux ans, il est vrai, mais celle-ci allait plus en profondeur et elle était beaucoup plus globale que la première, étant donné les changements importants et imprévus survenus dernièrement dans le contexte économique – de même que les actions exactes que nous aurions à mener d'ici le printemps prochain. La résistance au changement est énorme dans tout appareil gouvernemental, je le sais bien.

On m'en avait averti lors du briefing des responsables. J'étais d'autant plus nerveux qu'il s'agissait de mon premier mandat de cette sorte.

Un mandat énorme.

Quand j'ai brandi *La Quête* et que je leur ai dit que c'était pour ces gens-là que nous devions travailler, que c'était pour qu'il y en ait de moins en moins dans les rues que nous devions tout faire pour mener à bien la réforme, que c'était là la mission essentielle de notre ministère, ça a eu un effet bœuf. J'ai pu terminer mon exposé. À la fin, tous sont sortis en silence. J'espère que c'est parce qu'ils avaient compris.

Quinze heures trente. Je me suis demandé ce que pouvait bien faire la petite vendeuse de *La Quête* à cette heure-ci.

Moi, j'étais épuisé.

Je n'étais pas certain d'être la bonne personne pour être à la tête du comité consultatif. Je n'étais pas convaincu non plus de notre capacité à mener à bien cette réforme.

Une chose était sûre cependant, je n'avais pas du tout envie d'aller au théâtre. Quelqu'un avait fait tirer ses deux billets à la fin de la réunion à cause d'un empêchement. *Les Trois Sœurs,* d'Anton Tchekhov. Connais pas.

Quand je suis arrivé à la maison, il n'y avait personne. Après avoir fait le tour en appelant partout, j'ai vu un mot sur le frigidaire, de Claudette, disant qu'elle avait deux maisons à faire visiter dont la « grosse maudite » avec laquelle elle était prise depuis six mois. Sur la table, un autre mot, de Nadine, qui disait qu'après avoir lu le mot de sa mère elle avait décidé d'aller manger chez son chum. Enfin, un troisième de Quentin, mon fils, disait à qui de droit qu'il ne rentrerait pas coucher. La perspective de rester seul à la maison avec trois mots ne me disait rien. Je décidai donc d'aller au théâtre seul, en prenant soin de laisser un mot.

Je n'étais pas allé au théâtre depuis plusieurs années. J'avais une certaine crainte. Je ne connaissais pas la pièce, ni l'auteur, et j'étais fatigué.

Dans la rue, j'ai croisé une très belle femme. Je n'ai pas l'habitude de remarquer les femmes dans la rue. Ni ailleurs.

Une très belle femme.

Plus j'approchais du théâtre, plus il y avait de gens. Ça m'a fait penser aux attroupements de l'abri-bus le matin. À la différence qu'il y a plus de variété dans les vêtements et plus d'animation dans les visages et les conversations. Par contre, les gens se taisaient ou baissaient le ton à mesure qu'ils approchaient de la porte de la salle de spectacle.

Il y avait beaucoup de fumée dans la salle. Et très peu de lumière. Il fallait bien regarder où on mettait les pieds. Je me suis assis. Il y avait beaucoup de gens aussi. Toute sorte de gens. Seul, n'ayant rien d'autre à faire, je me suis mis à regarder un peu partout, à observer, et, sans savoir pourquoi, je me suis senti un tout petit peu excité. Peut-être parce que ça me rappelait la messe, que j'aimais bien quand j'étais petit, à cause de l'odeur de l'encens. Je me suis demandé si cette fumée pouvait être cancérigène.

Les lumières de la salle se sont éteintes. Lentement. Mon cœur s'est mis à battre ! Étrange ! J'étais nerveux. Bien davantage que ce matin avant la réunion. Comme avant un rendez-vous ! C'est peut-être ça, le trac.

La musique était forte. De la musique moderne. La pièce a commencé. Au début, je n'y comprenais pas grand-chose. Il y avait beaucoup de personnages et beaucoup de noms à retenir. D'autant plus que c'était des noms russes... Ça m'a pris un certain temps à embarquer, mais après un moment je me suis démêlé dans les noms et j'ai compris l'histoire même s'il n'y avait pas d'action. Et puis, je me suis senti comme envoûté, embarqué, happé. J'ai regardé autour de moi : il y avait une dame âgée assise sur le bout de son siège, les yeux rivés sur le spectacle, un jeune garçon, les yeux et la bouche grands ouverts – j'ai pensé à mon fils que j'aimerais voir dans cet état-là quelquefois ; je suis alors retourné au spectacle que je n'ai pas quitté des yeux jusqu'à la fin. Je n'avais jamais senti ça. Je n'avais pas assez de mes yeux et de mes oreilles pour tout retenir. J'aurais voulu dire à mes voisins : « Retenez ce bout-là ! Vous, celui-ci ! » J'avais l'impression qu'il y en aurait eu assez pour la salle au complet ! Les acteurs étaient formidablement bons. Je crois même qu'il y en avait un qui jouait deux personnages, mais je n'en suis pas sûr ! J'avais l'étrange impression qu'à la fois tout allait trop vite, je n'arrivais pas à retenir tout ce que je voyais, et que le temps était suspendu. Une extrême vitesse dans une immobilité totale. Et puis ces phrases, ces moments qui jaillissaient : « Moscou ! Moscou ! À Moscou ! » « Qui se souviendra de nous ? Que dira-t-on de notre vie dans deux cents ans ? » « Ma petite femme chérie, ce n'est pas grave. Il ne s'est rien passé. Tout est bien. » « Si on savait ! » « Il faut bien que la vie ait un sens. » « On ne sait rien ! » « Il faut vivre ! Il faut vivre[1] ! »

J'ai bondi sur mes deux pieds. Debout à crier : « Bravo ! » Et à battre des mains très fort. Trois choses que je n'avais jamais faites.

Je suis sorti le dernier de la salle. Une fois dehors, j'ai décidé de marcher jusqu'à la maison. Il fallait que je prenne l'air. Les mots, les images du spectacle me revenaient tout en désordre, confusément, dans une espèce de tourbillon qui défigurait tout. Ce qui me restait dans la tête ressemblait autant à la pièce que les débris d'une maison peuvent ressembler à celle-ci quand une tornade l'a frappée.

J'étais désorienté. Heureusement, mes jambes connaissaient le chemin. J'étais complètement habité par ce spectacle. Je ne savais que penser. Je ne me rappelle pas avoir rencontré qui que ce soit sur le chemin du retour.

Claudette n'était pas encore couchée. Elle lisait une revue. Elle n'avait vendu aucune des deux maisons. Elle était fatiguée. Je me suis assis à côté d'elle. Je n'ai pas dit à quel point j'étais remué, j'aurais été incapable de dire en quoi je l'étais. Nous avons peu parlé. Juste ce qu'il faut. Nous étions trop préoccupés.

---

1. Les extraits de l'œuvre de Tchekhov sont redevables de la traduction de Génia Cannac et Georges Perros (Livre de poche classique, 1960). Ils apparaissent tantôt entre guillemets, en mode dialogique, tantôt en caractères italiques, dans un effet d'écho. *(Note de l'éditeur.)*

Après un certain temps, je me suis tourné vers elle et je me suis aperçu qu'elle était en robe de chambre. Je l'ai regardée un certain temps. Elle m'a regardé à son tour, m'a souri, je crois lui avoir rendu son sourire, puis je me suis retourné vers la fenêtre. Qui donne vers l'est. Vers le théâtre. Claudette est partie se coucher sans que je m'en rende compte.

Je me suis levé. Demain, il fallait retourner travailler.

Je me suis dit que j'irais à la librairie acheter la pièce. Ça devait se trouver.

[Michel Nadeau[2]]

Je me suis allongé près de Claudette et j'ai tenté de dormir. Je lui ai pris la main et j'ai tenté de dormir. Je me suis mis à penser à la réunion de demain. Je devais me lever tôt pour m'y préparer et essayer de garder allumée la petite flamme que j'avais fait naître chez mes collègues. J'ai tenté de dormir. J'ai repensé à la femme que j'avais croisée dans la rue et au personnage de Macha qui m'avait tant bouleversé. J'ai associé les deux êtres et je me suis imaginé croisant Macha dans la rue. Je n'arrivais pas à dormir. Déjà minuit vingt-cinq ! Il faut que je dorme. Qu'est-ce que j'ai, bon Dieu, à ne pas dormir ! D'habitude, en posant la tête sur l'oreiller...

Je me lève et je me mets à errer dans la maison. Quel calme ! On n'entend pas la guitare de Quentin, la musique de Nadine (elle écoute toujours Bach en étudiant), les sonneries du téléphone de Claudette et ses bribes de phrases, alors qu'elle tente de vendre la « maudite maison ». Que c'est calme ! Tout peut arriver dans un calme pareil.

---

2. La nouvelle ayant été écrite à relais, chacun des auteurs est identifié au terme de son segment. *(Note de l'éditeur.)*

Tout est possible. Tout est à réinventer. Tout est en place pour une nouvelle représentation.

Je sors sur le balcon qui donne vers l'est. L'air est doux. Un mois de mai particulièrement doux. J'entends une volée d'oies sauvages qui traverse le ciel. Incroyable ! J'ai l'impression d'être exactement sous leur autoroute. À quoi pensent-elles, les oies ? Pourquoi volent-elles ainsi ? Depuis combien de siècles le font-elles ? Quel sens cela a-t-il ? Et qu'est-ce qui m'arrive, là, au milieu de la nuit, en bobettes et en t-shirt sur le balcon à regarder passer les oies et à me demander à quoi elles pensent ?

Des sons humains cette fois me sortent de ma rêverie. Un chant d'amour. Celui de la voisine de palier au lit avec son mari. C'est très doux d'abord, comme si elle était un peu timide. C'est presque une plainte. On dirait Nadine, petite, qui rentre à la maison après être tombée de bicyclette et qui veut sur son bobo un « diassylon » – c'était l'époque où elle commençait à perdre ses dents... Maintenant la voisine a carrément changé de registre. J'ai l'impression qu'elle s'est transformée en une sorte de bête qui pourrait manger son mâle tout cru.

C'est plutôt agréable à entendre. La fenêtre de leur chambre à coucher est tout près de notre balcon ; alors je reste là un moment à écouter sans bouger et à retenir ma respiration. Je ne veux pas signaler ma présence, mais je ne veux rien manquer non plus. Mais qu'est-ce que je fais là, en bobettes et en t-shirt à écouter baiser les voisins ? Tout à coup je me sens un spectateur inopportun. Je ne suis pas convié à cette fête... Mon Dieu, et si j'avais une érection ? Je préfère rentrer sans un bruit plutôt que de me sentir coupable d'infidélité pour une érection inappropriée.

Je vais dans le salon, m'étends sur le canapé et ouvre la télé. Du sport, des séries policières, un reportage sur les catastrophes naturelles, un autre sur les castors. Une ligne ouverte sur le sexe. Des jolies filles qui se vautrent dans le sable, à moitié dans l'eau... C'est parce qu'elles sont de vraies sirènes qu'elles ne montrent pas le bas ? L'interview d'un ministre qui parle de la réforme... Ah non, pas la réforme... Revenons aux vahinés... Aux nivéas ?... Aux vahinés... Non, revenons aux castors... Au déluge... Aux gendarmes et aux voleurs... Au baseball... Au théâtre...

Tiens, je suis au théâtre de nouveau. C'est la pièce que j'ai vue ce soir. Mais je ne la reconnais pas toujours. Les officiers de la pièce sont en réunion autour de la grande table et ils parlent de réforme. On entend venant de la porte à côté les ébats amoureux de Macha et de Verchinine... Je me fais la réflexion que c'est fantastique tout de même que de me souvenir de ce nom : Verchinine. Je sais que c'est moi Verchinine, et que Macha est la femme de la rue. Puis je me retrouve assis à la grande table, en réunion avec les autres officiers et avec les gens de mon bureau. Je parle des itinérants qu'il faut aider. On entend passer les oies... On se lève pour les voir voler. Un autre personnage dit que la vie ne change pas. Macha sort de la chambre en robe de chambre et dit : « Tout de même, quel est le sens de tout cela ? » Je dis : « Le sens... Où est le sens ? »

Je me réveille. Je me sens mal. J'ai l'impression d'être comme une oie qui ne serait plus capable de suivre la loi de la nature et de voler sans savoir pourquoi. Tout à coup j'ai besoin de savoir pourquoi. Je me sens coincé dans des lois immuables : lois de la nature, mais surtout lois humaines. Je voudrais tout à coup avoir le pouvoir de changer ces lois.

Je me redresse sur le divan, me frotte les yeux et tourne mon regard vers la télé. On y voit le visage d'un homme au regard doux, au sourire triste. Il a des lunettes en pince-nez. On dit qu'il est mort de tuberculose à l'âge de quarante-quatre ans. Qu'il a épousé une actrice vers la fin de sa vie, qu'il était médecin et écrivain. Que sa tétralogie (c'est ainsi qu'on désigne ses dernières œuvres) a été écrite pendant les neuf dernières années de sa vie. Je me fais la réflexion que tout n'est peut-être pas perdu pour moi. On dit que son enquête dans les prisons de l'île de Sakhaline a changé sa vie et le destin des prisonniers. Il avait une approche toute nouvelle : il s'intéressait aux gens plutôt qu'aux institutions. Je me dis que c'est ce que je tente de faire dans mon approche pour notre grande réforme. On dit qu'il s'appelle Anton Tchekhov... La vie et le hasard sont vraiment surprenants. Mes bras se couvrent de chair de poule. Réflexe de la nature. Je me dis que je serais mieux couché près de Claudette et de sa chaleur apaisante. Réflexe animal.

Au moment où j'éteins la télé, le narrateur cite une réflexion de Tchekhov : « il faut présenter des hommes aux hommes, pas toi ». Je ne comprends pas trop. La narration disait qu'il écrivait de façon objective. Je sors du salon. Qu'on ne sentait jamais son opinion à lui, son jugement. J'entre dans la chambre. Pas comme Tolstoï (lui je le connais : *Guerre et paix*). Je relève les draps et m'assois dans le lit. Présenter des hommes aux hommes. Je me couche. Il faut vraiment que je me procure la pièce. Ça doit se trouver.

Je réussis à me rendormir, rasséréné par la présence de Claudette et mon sentiment de faire la bonne chose au travail. Un nommé Tchekhov l'a fait dans un autre domaine, il y a un siècle.

Le lendemain je me réveille frais et dispos. Ce qui m'étonne après la nuit étrange que j'ai passée.

Mes rêves suivants ont été tout à fait normaux. Je jouais au baseball avec Quentin. Faisais le marché avec Claudette. Prenais le bus... Après un déjeuner léger, je révise mes dossiers pour la réunion de la journée. Je devrais peut-être parler des oies. Je me ravise : mes collègues me diraient de prendre congé.

Je sors. Journée splendide. Je marche tout droit vers l'arrêt de bus. J'aperçois la librairie de l'autre côté de la rue. Elle n'est pas encore ouverte, mais je traverse tout de même pour aller fouiner dans la vitrine. Aucune trace de la pièce de Tchekhov, mais un livre sur le burn-out. Tiens... il me permettrait peut-être de comprendre tous mes collègues qui sont en train d'en faire un, en ont fait un, ou vont bientôt en faire un... Un livre sur les méthodes naturelles de traitement du cancer. Je pense à mon ami Jean-Guy qui est en pleine bataille avec son cancer de l'intestin. Ça me fait terriblement peur, mais je dois aller lui rendre visite à l'hôpital.

Je retraverse la rue pour rejoindre mon arrêt de bus. Je vois à quelques mètres la fille qui vend *La Quête*. Je devrais lui en acheter un autre. Je sors deux dollars de ma poche et les lui tends.

« C'est une belle journée, hein ?

– Ouais...

– Bonne chance !

– Vous aussi là... »

Pourquoi m'a-t-elle dit ça ? Est-ce que j'ai l'air de quelqu'un qui a besoin d'avoir de la chance ? Je me rends compte que j'ai acheté le même numéro que la veille. Évidemment, ils ne peuvent pas en produire un tous les jours... Ce n'est pas grave, je le donnerai à quelqu'un du bureau.

[Lorraine Côté]

En tournant le coin de la rue, j'aperçois l'édifice du ministère comme si c'était la première fois. Il paraît avoir dix étages de plus que la veille. Les oies auront-elles la présence d'esprit de modifier leur trajectoire ? S'en sont-elles seulement rendu compte ? Comme le revêtement de l'immeuble est vitré, je me fais vraiment du souci.

Un coup de klaxon juste à côté de moi me sort de ma torpeur. Un son beaucoup plus clair et strident lui répond d'une voiture voisine. Cet échange me fait penser aux belles petites engueulades brèves et constructives que nous avions encore, Claudette et moi, il n'y a pas si longtemps. Les deux voitures se relancent, s'affrontent, pare-chocs à pare-chocs. Elles semblent prêtes à s'avaler l'une l'autre. J'éclate de rire au nez et à la barbe des deux chauffeurs, un homme et une femme, sans doute des collègues à moi, encore bien poudrés à cette heure matinale. Ils me regardent, franchement étonnés. Vêtu de la même façon qu'eux, bien au fait de ma personne et de mon standing, de ma place dans la société avec ma cravate bleu ministère en guise de fanion, mon rire détonne. Cela va de soi. Alors, je fais mine de regarder ailleurs, par-delà les façades vitrées de l'immeuble. Et c'est dans le reflet de ma ville que j'erre quelques secondes avant de me remettre en marche.

L'avant-midi se déroule à sa façon, c'est-à-dire deux réunions en vue de préparer la troisième. Au technicien Régis Turbide venu me demander « As-tu lu ton journal ce matin ? », allusion non équivoque à mon exposé de la veille, je réponds « Ben sûr, pis les Expos vont bien, hein ? » Je le dépasse dans le corridor capitonné, puis une idée me vient. Je me retourne vers lui qui avance lourdement, saluant tout ce qui porte une jupe, puis lui tends *La Quête*. Il la prend avec un faux sourire, regardant à la cantonade si quelqu'un nous a vus. On doit se sentir comme ça quand on jette une pièce de monnaie dans une fontaine…

J'entre dans mon bureau, je verrouille la porte, chose inhabituelle, je m'assois et me tourne vers la fenêtre. Le paysage est le même que celui qui m'apparaissait quelques minutes auparavant dans le reflet de l'immeuble. Je regarde vers le nord. Pour accompagner le vol de mes sœurs, sans doute… Qu'est-ce qui se passe, pour l'amour du ciel ? Qu'est-ce qui m'arrive ? C'est fulgurant : le souvenir de la veille provoque une petite détonation sur mon côté gauche, là où se trouve le cœur. L'idée qu'un être humain ait pu écrire, il y a de cela un siècle, ce qu'il m'a été donné d'entendre me rassure. Le visage de l'auteur, apparu à la télévision la veille, aussi.

C'est étrange, le reflet de mon propre visage dans la vitre pourrait se confondre avec le souvenir que j'ai de celui de Tchekhov. Mes lunettes à la fine armature métallique sont peut-être d'inspiration début du siècle, tout comme les favoris négligés et mes yeux tristes et équivoques. Je desserre le nœud de ma cravate, puis l'enlève tout à fait. Voilà.

L'exemplaire de *La Quête* ayant servi à l'exposé de la veille est toujours sur le coin de mon bureau. À côté, sur deux pages manuscrites, les notes prises cet avant-midi pour le briefing de l'après-midi. Mettre tout cela en ordre : dégager la ligne directrice, évaluer les compétences de chacun, les objectifs à atteindre et déterminer la procédure à suivre. C'est la énième refonte. Alors on reprend tout cela, on brasse bien comme il faut et on regarde ce qu'on peut faire avec ce qu'on a. Mais mon crayon ne semble pas suivre. Les idées non plus. J'allume l'ordinateur et le referme aussitôt. J'entends la poignée de la porte jouer sur elle-même.

Quelqu'un cherche à entrer. Quelqu'un cherche à entrer pour frapper après ? J'attends puis, lorsque je n'entends plus rien, je sors de mon bureau et me glisse jusqu'à la sortie de secours près de celui-ci. À l'insu du département, je décide de prendre l'air.

Je marche dans le parc, les mains dans les poches. Débarrassé de ma cravate, je me sens phénoménalement libre. Le soleil de mai me réchauffe. Il y a encore, çà et là, quelques plaques de neige sale qui refusent de fondre. Elles s'accrochent et laissent voir des détritus de l'automne précédent. Quand tout s'arrête et que le temps n'existe plus. Ou que pour cet instant. À ce moment, je repense à Macha, la vraie-fausse Macha, et la fausse-fausse Macha, celle que j'ai croisée dans la rue en allant rencontrer la première au théâtre, puis l'autre Macha sur le palier de mon condominium, la dévoreuse d'homme. Laquelle a déjà changé ma vie, s'il en faut une ? Je rigole à l'idée qu'il faille nécessairement remédier aux accidents et résumer les aventures pour pouvoir nager dans l'ouate de la normalité. Le desserrement du nœud de cravate est en soi un exploit. Et ce pied que je fous dans une grosse merde de chien ?

« FUCK ! »

Je ravale aussitôt le mot, mon premier réflexe étant de jeter un coup d'œil aux alentours pour être certain de ne pas m'être fait entendre. Conditionnement.

Je m'assois pour gratter les excréments qui couvrent ma semelle. Sous mon soulier se sont amassées moult choses : gommes ballounes bien grises, mégot de cigarette, bouts d'écorces, terre. Je suis un glacier. Je traîne une quantité de matière infinie qui se détachera invariablement de moi en un lieu et un moment donnés. C'est prévu comme ça.

Débarrassé de la merde et autres immondices, mes pensées reprennent leur fil ondoyant comme la corde du cerf-volant qui s'agite plus loin. Je me crois affublé d'une nouvelle acuité, un don qui me permettrait d'entrevoir mes collègues, mes amis et, pourquoi pas, ma femme et mes enfants sous un angle nouveau. Chacun semble représenter une couleur qu'il ne m'aurait jamais été donné de voir ou, à tout le moins, sous des contrastes aussi vifs et cinglants. Comme ces premières photographies sur lesquelles l'ajout de la couleur ne semblait répondre à aucune logique chromatique. Entre chacun des êtres qui m'entourent, le voyage paraît immense, les nuances infinies. Je suis le peintre, voici ma palette. Je dispose de deux siècles, peut-être trois pour m'y retrouver.

Le bruit d'un camion à ordure activant son levier à pression me trouble, trouble ma quiétude.

[Hugues Frenette]

Toujours sur le banc de parc, mes pensées se bousculent. Macha, Claudette, Irina, Nadine, Verchinine, Quentin, mes sœurs oies… J'entends le vent me souffler à l'oreille : « Moscou ! Moscou ! » comme une douce musique… Je regarde les gens se baladant dans le parc. Des détails captent mon attention : une fleur rose sur le chapeau de cette vieille femme, la moustache blonde de l'homme au parapluie, les taches de rousseur de la petite fille qui joue à la marelle… qu'est-ce qui m'arrive ? Au loin, une femme, une jeune femme, s'approche tranquillement de moi. On dirait qu'elle sort tout droit d'une peinture de ces impressionnistes. Je distingue petit à petit ses traits… c'est Irina ? ! Cette douce et tendre jeune fille qui m'a tant touché hier ! Elle est à quelques pas de moi ; je l'entends murmurer : « Tout homme doit travailler, peiner à la sueur de son front, là est le sens et le but unique de sa vie, son bonheur et sa joie. Heureux l'ouvrier qui se lève avec le jour et va casser des cailloux sur la route, ou le berger, ou l'instituteur qui fait la classe aux enfants, ou le mécanicien sur sa locomotive. » Elle s'assoit à mes côtés, je la regarde avec un doux sourire.

« Oh ! La maudite maison ! »

Claudette entre et met la table. Je me retourne vers Irina, c'est Nadine qui est assise à mes côtés. Quentin, lui, est venu s'asseoir à table sans bruit, comme à son habitude. Je suis au souper d'il y a deux jours, trois semaines ou quatre mois. Les soupers se ressemblent tous. Les jours se ressemblent tous. Pourtant, ce souper est différent, même s'il est comme tous les autres. Je vois la bouche de ma femme qui n'arrête pas de parler, mais je n'entends pas un mot, pas un bruit. Silence. Je regarde ma fille, la belle petite fille à son papa devenue jeune universitaire performante, sérieuse, qui réussit, quoi ! Alors pourquoi, lorsque je la regarde, mes yeux s'emplissent-ils de larmes et mon cœur se serre-t-il ? Où est la petite fille qui « m'aimait gros comme l'univers » ? Où est passée cette petite lumière dans ses yeux quand elle riait aux éclats ? Je veux la prendre dans mes bras et lui dire ce que j'aurais voulu crier à Irina hier : « Il n'y a pas que le travail dans la vie ! » Je veux l'enlever, la sauver, tel un prince charmant, et l'emmener sur mon cheval jusqu'à Moscou où je la ferai valser, valser, valser...

« Qu'est-ce que t'en penses, toi ? »

La voix de Claudette me ramène dans mon assiette. Tout en piquant dans mes petits légumes verts, je lui dis : « C'est une bonne idée, Moscou. »

Ma femme me regarde, abasourdie. Qu'est-ce qui m'arrive ? Pourquoi j'ai dit Moscou... ? Je la regarde. Silence. Bruits de fourchettes. Comment vais-je reprendre la conversation ? Je me tourne vers ma fille. C'est Irina qui me sourit. Je retourne à mon assiette. Rythme cardiaque sur fond d'ustensiles. Je ferme les yeux. Le thème musical reprend en tutti : klaxons sur chant d'oiseaux. J'ouvre les yeux. Je suis toujours sur le banc de parc. Je vois la fleur rose sur le chapeau de cette vieille femme, la moustache blonde de l'homme au parapluie, les taches de rousseur de la petite fille qui jouait à la marelle...

Il faut que je parle à quelqu'un. Jean-Guy.

Chambre 407. Aile de l'espoir. Jean-Guy est assis dans son fauteuil roulant. Une odeur de maladie flotte dans l'air. Les murs blancs de sa chambre déteignent sur son teint. Des yeux, il me sourit. Nous sortons dans le corridor. Je marche, il roule. Il est content de me voir. J'ai tant de choses à lui dire : Tchekhov et la vie. Silence. Bout du corridor. Grande fenêtre. Une lumière intense sur nos visages. Il me prend la main. Ce collègue, cet homme qui est là près de moi, mon ami. Je sens sa souffrance, sa peur, son mal. Je vois pour la première fois dans ses yeux son inquiétude. Je ne sais quoi lui dire. Je veux lui demander : « Si tu pouvais recommencer ta vie, une bonne fois, consciemment ? Si la vie que tu as eue n'était, pour ainsi dire, qu'un brouillon, et l'autre, un propre ? Que ferais-tu ? Est-ce que tu tenterais de ne pas te répéter, ou tout au moins créerais-tu une autre ambiance ?... » Je vois dans ses yeux qu'il a ma réponse. J'ouvre la bouche :

« Ton bureau t'attend. Tout le monde a hâte de te revoir. Reviens vite, car les dossiers s'accumulent...

Bientôt tu pourras plus ouvrir ta porte tellement il va y en avoir sur ton bureau ! Ah ! Ah ! On peut pas se passer de toi... »

J'aurais aimé lui chanter la vie, le faire rire, lui dire que je l'aime, qu'il est mon ami. Il me regarde, il comprend. Sur sa chaise, il roule vers sa mort et il me dit :

« Bonne chance ! »

Bonne chance ? La petite fille de *La Quête* et maintenant Jean-Guy. J'entends une volée d'idées dans ma tête. Je repense à mes sœurs oies, à Macha, à moi...

La vie, c'est une chance en soi. C'est à nous de la faire bonne.

Sur ces mots, je suis déjà assis à la table de mon petit café, au coin de la rue. Pour la première fois, je remarque le gros arbre : un chêne, un immense chêne avec quelques bourgeons. Le soleil brille. Les tulipes dansent. Les verres sur les tables chantent. Les serveuses dansent.

Arabesque de cappuccino. Tango citronné. Cha-cha-cha.

Mes yeux croisent ceux d'une femme. D'une cliente. De Macha. De ma voisine. Je détourne le regard par gêne de l'avoir écoutée jouir cette nuit. Le nez dans mon café, je me dis que dans le fond, elle ne peut pas savoir. Je décide de la regarder de nouveau. Elle me regarde toujours. Ses yeux sont d'un bleu « caraïbes ». Je m'y noie quelques secondes. Toujours en apnée, je lui lance un sourire un peu crispé. Elle me reconnaît. Elle ressemble aux belles nivéas que j'ai vues cette nuit à la télévision. Elle prend son *café pour emporter* et sort. Était-ce une apparition ? Pourquoi suis-je aussi excité ? Le sang dans mon corps circule à 200 km/h. Je pense à Claudette. Qu'est-ce qui m'arrive ? Nerveusement, je déchire un sachet de sucre et le verse dans mon café. Le sucre coule grain par grain dans cette eau caféinée... un ruisseau blanc dans une mer noire. Le sucre s'écoule. Le temps passe.

[Véronika Makdissi-Warren]

Jusqu'à ce que le sucre déborde de la tasse. « Oups, merde ! Qu'est-ce que j'ai fait ? Le sucrier est vide et ma tasse déborde ! »

Il éloigne sa tasse en essayant de cacher le mieux possible le monticule de sucre qui dépasse. Il jette un regard autour de lui.

Qu'ils ont l'air heureux tous ces gens. C'est le seul endroit où je respire, ici. Le seul endroit où la vie semble légère, facile. Et belle. Les gens sont beaux autour. Et jeunes. C'est ça : jeunes. « Dommage que la jeunesse soit passée, tout de même. » Qui disait ça dans la pièce ? Heureusement qu'il y a ce café entre le bureau et la maison. Un peu de liberté ! Moi qui n'ai pas d'amis, je baigne dans cet air imbibé d'amitié et c'est comme si j'en avais. Nous sommes tous à nos tables, tous inconnus, mais un fil invisible nous relie. Invisible mais plus fort, plus vrai que celui qui peut me relier à mes collègues que je connais depuis tellement longtemps. Sauf Jean-Guy... Qui va s'en aller je crois bien. Tout juste trente ans. Et puis Marcel, l'hiver dernier. Et Jean-Claude l'an passé... C'est commencé...

Il prend une gorgée de café, regarde autour ceux qui vivent encore. Son regard s'arrête sur la serveuse. Et l'univers entier s'arrête.

« Mais qu'elle est belle, cette femme ! »

La serveuse est occupée à parler avec un client. Un ami peut-être. Ils sont gais tous les deux et elle rit beaucoup. Et quel sourire ! Curieusement, il a l'impression de l'avoir déjà vue, que son cerveau l'a déjà enregistrée, quelque part. Dans la rue ? Un matin, comme tant d'autres, alors qu'il se rend au travail. Pourquoi pas, c'est possible. C'est petit, Québec. Et le café n'est pas loin du bureau.

« Comme je voudrais être regardé comme ça, moi aussi. Cet homme est le plus chanceux du monde ; le sait-il ? Quelle beauté ! »

Afin de reprendre ses sens, il prend une gorgée de café. Au moment où la tasse touche ses lèvres, la serveuse interrompt sa conversation et le regarde. Il arrête de boire, net. Temps. Deux big bangs éclatent dans son plexus : de l'énergie pour une trentaine de milliards d'années à venir. Lentement, il éloigne la tasse de ses lèvres ; lentement, la serveuse retourne vers son ami pour reprendre la conversation, comme si de rien n'était. Déboussolé, il se demande ce qui arrive. Nerveusement, il porte la tasse à ses lèvres pour reprendre une gorgée, la serveuse fait le même manège ! Temps. Silence. Il recule lentement la tasse, elle se détourne lentement ; il ramène la tasse, elle revient. Et comme elle le regarde ! Que faire ? Il ne peut tout de même pas rester ainsi pour l'éternité. La situation est aussi délectable que désagréable. Après quelques essais, il se résout, bien à regret, à déposer sa tasse dans la soucoupe et à mettre fin à l'enchantement. Mais, ô miracle, la belle serveuse laisse son ami et s'en vient vers lui ! Il jette un regard alentour, pour voir si personne n'a besoin de rien, mais c'est bien vers lui qu'elle marche ! Lorsqu'elle arrive à sa table, il lève les yeux, ils se regardent. Elle lui adresse la parole, il lui répond. Et l'espace d'un instant, de ces instants qui existent à peine, presque en dehors du temps, assurément en dehors du temps ; le temps d'un clignement d'œil où durant une fraction de fraction de seconde nous sommes dans le noir et que tous les possibles peuvent arriver sans que nous en ayons conscience ; l'espace d'un clignement d'œil simultané, la serveuse et l'homme ont vécu toute la vie qu'ils auraient pu vivre ensemble. Le temps d'un clignement d'œil. Ce fut une vie toute de passions, d'excès, d'attachements, de rage ; vie forte mais brève dont tous deux – mais surtout lui – sont sortis brisés.

« Un autre café ?

– Non merci. Je vous remercie. Je dois rentrer à la maison. »

Ils se regardent. Elle lui sourit. Il lui semble qu'il ne la laisse pas indifférente. Elle retourne au comptoir. Un autre ami y est. Et elle lui parle avec autant de bonheur qu'à l'autre.

Dans la rue, il regarde par les fenêtres. Un couple fait la vaisselle. C'est une vraie danse. D'autres couples sont occupés : occupations d'avant-souper. Et tout ce monde semble si heureux...

[M. N.]

Il arrive devant une maison. La sienne.

Celle qu'il a toujours habitée. Une maison qu'il a achetée à son père qui, lui, l'avait reçue en héritage de son grand-père.

Devant la porte, M. L'Homme remet sa cravate, réajuste son complet et sort son trousseau de clés. Il cherche celle qui ouvre la porte principale. Elle n'y est pas. Il fouille les poches de son veston. Rien. Celles de son pantalon. Il ne la trouve pas.

Soudain, une pensée lui vient en tête. Une pensée qu'il n'a pas eue depuis longtemps. Et si... ?

Il recule de quelques pas sur les vieilles pierres de l'entrée, soulève la quatrième pierre (la grise avec de petites taches rouges) et aperçoit la boîte qui, lorsqu'il était gamin, cachait la clé de la maison familiale. Elle y est toujours. Une joie immense l'envahit.

Un parfum d'enfance. Il se revoit, petit garçon, remontant l'artère principale pour venir dîner à la maison.

Tout à coup, la porte s'ouvre et sa mère apparaît sur le seuil. Elle sourit et tend les bras. M. L'Homme ouvre les siens, mais il n'est pas le seul, M. L'Homme-père le dépasse et va se lover amoureusement dans les bras de sa tendre et jeune épouse. Il lui prend la fesse droite à pleines mains. La jeune femme glousse et repousse son mari : « Grand fou, va ! On pourrait nous voir ! »

M. L'Homme-père entraîne madame sa femme dans le sombre corridor et ferme la porte.

Ça pue à plein nez le bonheur et les gâteaux à la mélasse.

Se retrouvant seul, M. L'Homme regarde autour de lui pour voir si quelqu'un d'autre a été témoin de cette étrange scène.

Personne.

La rue est vide. Complètement.

On entend une tondeuse au loin.

M. L'Homme s'approche de la porte avec la vieille clé rouillée.

Il hésite.

Quelque chose le retient : le cri harcelant des oiseaux tout là-haut ? L'appel de la liberté ? L'envie de dériver là où il ne va jamais ?

Le poids des responsabilités qui lui noue la gorge depuis tant d'années empêche sa main d'avancer. Elle devient moite. La clé glisse, il ne fait rien pour la récupérer.

Au contraire, il recule de nouveau et prend le petit chemin de la haie de cèdres qui longe le côté droit de la maison. Le chemin qu'il n'emprunte plus jamais depuis si longtemps.

Il se glisse sous le saule pleureur et va s'asseoir dans la balançoire achetée à Quentin pour son cinquième anniversaire.

Elle grince. Il faudrait la huiler. Il s'était dit la même chose, il y a quinze ans. Il ne l'a jamais fait, comme la plupart des choses qu'il voulait faire d'ailleurs.

Il est resté là longtemps.

À se souvenir.

Du temps où il était gamin et où il n'y avait que leur maison et la ferme de M. Bérubé à quelques centaines de mètres de là.

M. Bérubé et son immense poulailler.

M. Bérubé et sa grande connaissance des oiseaux.

Aujourd'hui, c'est un quartier résidentiel avec des bungalows en brique rouge et des entrées de garage en asphalte. Il ne les a pas vu construire.

Où était-il depuis tout ce temps ?

Que sont devenus tous ses rêves, ses aspirations, et les projets qu'il planifiait sous ce même arbre, il y a de cela quelques décennies ?

Il est resté là pendant longtemps. Très longtemps. À épier sa propre existence.

Il a vu ses enfants revenir de l'école. Il a remarqué que Quentin souriait beaucoup plus lorsqu'il était seul ou croyait l'être, que Nadine était toujours préoccupée comme si une pile de livres planait en permanence au-dessus de sa tête.

De sa cachette, il pouvait espionner les fenêtres voisines.

Le couple de droite, les « libidineux Turcotte Brideau », faisait la vaisselle. Une vraie parade amoureuse.

Celui de gauche préparait la chambre du premier bébé. Ils avaient adopté une petite poupée russe qui s'appellerait Natacha. Elle arriverait de Moscou dans moins d'un mois.

Mme Bélanger, la voisine de derrière, se berçait sur sa chaise craquante en écoutant en boucle sa musique préférée : la trame sonore de *Docteur Jivago*.

Elle est de plus en plus petite et de plus en plus courbée, comme si elle savait qu'elle ira rejoindre bientôt son défunt dans la terre.

Comme Jean-Guy.

M. L'Homme voit sa douce revenir du travail, se servir un premier verre, enfiler une tenue plus confortable. Il la surprend en train de se regarder dans le miroir, scrutant de plus près ridules et autres signes du temps.

Comme elle est belle en jupon noir et en soutien-gorge avec ses pantoufles en Phentex, cadeau de sa belle-mère pour la naissance de Nadine.

Le Phentex ne s'use pas.

Il la voit se servir un deuxième verre, préparer le souper en repoussant fréquemment une mèche rebelle qui vient lui chatouiller la joue.

Il admire sa petite famille pendant plus d'une heure. Il l'écoute placoter de tout et de rien, parlant tranquillement de la journée, se plaignant de la chaleur, se taquinant comme seuls les frères et les sœurs peuvent le faire.

Des gestes quotidiens qui traversent le temps.

Puis, il voit sa mère sortir de sa chambre, venir s'installer à côté de Claudette et accomplir les mêmes gestes avec la même application. À son tour, Nadine vient se joindre au ballet du repas. Elles se mettent à chanter à voix haute et M. L'Homme est heureux, car il se dit qu'il n'y a pas de voix plus belles que celles des femmes de sa famille.

On dirait trois sœurs.

Finalement, Quentin s'approche, plonge sa main dans les carottes fraîchement coupées. Trois mains de femme le tapent en poussant des :

« Ah ! Arrête !

– Tu vas gâcher ton souper !

– Mets donc la table !

– Maudit gars ! »

M. L'Homme se revoit en train de faire, à une autre époque, les mêmes gestes que son plus jeune, avec le même chœur de protestations féminines.

À ce moment seulement, il comprend qu'il appar - tient à une famille de femmes de « père en fils » et qu'il a choisi sa Claudette parce qu'elle est forte, intelligente et admirable.

Et lui, quel était son rôle dans tout cela ?

Tout à coup, son père entre dans la pièce familiale, cachant quelque chose contre sa poitrine ; il vient devant la fenêtre et y place un délicat vitrail bleu et vert.

« Ça te plaît ? »

Son père artisan vitrier, son imposant père aux doigts de fée avait créé un objet d'une finesse éblouissante juste pour le plaisir d'entendre sa douce rire de bonheur, encore une fois.

Tout le monde semblait si heureux.

Un bonheur simple et sans complications.

Comme ce vitrail. Qui est toujours là.

Soudain il voit dans les yeux de sa Claudette une lueur d'angoisse. Elle regarde fréquemment l'horloge qui orne le mur.

Où est-il celui qui n'est jamais en retard ?

Une seule phrase revient à l'esprit de M. L'Homme, celle d'Irina : « Il m'a semblé brusquement que tout devenait clair, que je savais comment il faut vivre. »

M. L'Homme décide de sortir de sa cachette et d'aller reconquérir sa belle Vahinévéa.

Il grimpe sur le balcon de derrière, ouvre la grande porte-fenêtre fraîchement installée, se cogne le front contre le joli vitrail paternel. Femme, fils et fille sursautent. Claudette lui demande : « Mais où étais-tu, chéri ? »

Sans répondre, M. L'Homme se dirige vers le système de son, cherche un disque, lance les autres partout dans la pièce. En dépose un dans le lecteur et appuie sur *Play*.

Pendant que les premières notes de *Fly Me to the Moon* s'égrainent, il se dirige vers sa douce, la saisit par la taille, la plaque contre lui et la fait tourbillonner dans un mouvement de valse sensuelle.

Il s'arrête brusquement et regarde la table. Et d'un geste large, en balaie tous les objets. Les ustensiles tombent, les assiettes se fracassent, les carottes de Quentin volent.

M. L'Homme couche sa femme sur la nappe et l'embrasse.

Nadine rit à gorge déployée.

Quentin est dégoûté. Il ne cesse de répéter : « Franchement ! Non mais franchement ! Allez faire vos cochonneries ailleurs. »

M. L'Homme entraîne sa blonde dans la chambre à coucher.

Claudette hurle de rire.

Nadine se lève pour aller rejoindre son chum.

Quentin reste là, seul au bout de la table, il mange les restes, pendant qu'éclate dans les trois maisons du bout de la rue un concerto pour amants déchaînés.

[Note de Jojo : je repasse au JE[3].]

Le lendemain matin.

Je me réveille. La maison est silencieuse.

Je me promène en sifflant, nu-pieds, avec la robe de chambre de Claudette.

Trois choses que je n'ai jamais faites.

---

3. Les annotations sur le texte en cours sont placées entre crochets. *(Note de l'éditeur.)*

Ai-je rêvé la dernière soirée ?

Plus aucune trace dans la cuisine.

Je m'habille, enfile mon complet gris. Trop petit.

Le noir : les manches sont trop courtes et il n'y a pas un bouton qui *attache*.

Le beige : les pantalons m'arrivent aux chevilles.

Même chose pour le brun, le rayé et le marine.

Que se passe-t-il ? ? ? ?

Tout ce qui me fait, c'est la chemise hawaïenne que j'avais reçue en cadeau de mon beau-frère, mes vieux jeans troués et les sandales de ma femme, les sandales aux petits miroirs.

Tenue convenable pour la réunion !

Étrangement, cela me laisse indifférent. Je me sens libre.

Ce matin-là, je ne traverse pas la rue pour rejoindre mon arrêt de bus. Maintenant, je fais partie de ceux qui marchent sur l'autre trottoir.

En face de moi, je regarde le groupe de chaque matin. Il y a toujours le même grand gars qui se fouille dans le nez, croyant que personne ne le voit, et la jeune fille au walkman qui bat la mesure avec sa tête.

Elle tient par la main un jeune déficient. Son petit frère, il me semble.

Ce dernier me sourit et m'envoie la main.

Plus loin, une femme que je n'avais jamais vue est là. Elle est étrangement vêtue. Elle porte une longue redingote noire, un haut-de-forme et de petites lunettes fumées. À ses bras pendent deux valises noires.

Elle regarde le ciel avec un léger sourire. Je lève les yeux pour apercevoir des oies.

Des dizaines d'oies qui font une farandole étonnamment silencieuse.

Elles piquent du nez, se redressent au dernier moment, repartent, glissent sur le vent, se collent et se poursuivent.

Je baisse mon regard vers la femme. Plus personne.

L'autobus est passé, emportant le cortège de complets-cravates.

Au milieu du trottoir, une petite valise noire...

[Marie-Josée Bastien]

Vaut mieux pas y toucher... On ne sait jamais... Une bombe... Mais je m'approche tout de même pour m'en saisir. C'est là que je me rends compte que c'est mon porte-documents. Je le prends et je me rends au bureau.

Le climat est plutôt tendu. Oh ! la journée sera longue... Je commence alors tout doucement en disant un mot gentil à chacun et en leur rappelant la réunion de neuf heures. Tout le monde me répond avec un sourire fendu jusqu'aux oreilles. Je crois qu'on apprécie ma nouvelle tenue estivale.

La réunion débute presque à l'heure. Il y en a toujours un ou deux en retard... Cependant ça ne marche pas du tout aujourd'hui. On dirait que chacun s'amuse à mettre des bâtons dans les roues de tout le monde. Cette réunion ne mène à rien. C'est alors que je leur dis : « Écoutez, il me semble que cette réunion tourne en rond. Allons au parc manger une crème glacée. C'est ma tournée ! » Tout le monde accepte d'emblée. C'est drôle, on présume toujours de la réaction des autres. J'étais persuadé qu'ils resteraient figés là en se demandant s'il fallait appeler une ambulance ou le service d'ordre... Eh non ! Tous mes collègues sans exception se sont décravatés et débas-culottées et m'ont suivi dehors !

Cette réunion dans le parc a donné des résultats fantastiques. On s'est assis, qui sur un banc, qui sur le gazon, qui au bord de la fontaine, et on a parlé de tout et de rien. De nos hobbies, de nos vacances à venir. On avait les doigts et la bouche barbouillés de chocolat, de fraise, de pistache…

À un moment, on a regardé le spectacle de la société. Les petits enfants qui sortent au parc avec leurs amis de la garderie, dirigés par les monitrices. Avec leurs dossards tous pareils. S'accrochant chacun à une poignée du serpent rouge qui les relie. L'instinct grégaire. Comme les chevaux, comme les chiens, comme les oies… Il y avait aussi un groupe de vieux qui faisaient un tournoi de pétanque. Ça bardait. Et puis il y avait un vendeur de *La Quête,* je ne l'avais jamais vu, celui-là. Je me suis demandé comment se portait la fille à qui j'avais acheté deux fois le même numéro.

Une des employées du bureau s'est levée : « Je vais toujours ben m'en prendre un moi aussi. » C'était une de celles qui s'étaient débas-culottées. Elle avait aussi retiré ses chaussures pour s'asseoir dans l'herbe, si bien qu'elle s'est rendue pieds nus rejoindre le vendeur. Elle avait une belle démarche ondulante de vahiné que je n'avais pas remarquée auparavant. Elle a rejoint le groupe et, tout naturellement, tout le monde s'est passé le journal. Et puis la conversation s'est portée sur notre sujet de réunion. Et tout naturellement, nous en sommes venus à une concertation et nous avons trouvé… de très bonnes idées, ma foi !

Alors je me suis risqué à parler des oies. Je disais à mes collègues que nous avons l'habitude de fonctionner à partir de lois qui nous semblent immuables. Comme les oiseaux, nous suivons la volée. Mais il est possible de changer un tout petit peu la trajectoire, sans mettre en danger la communauté, et de voir le paysage d'une façon nouvelle. « Comme cet après-midi avec la crème glacée », ai-je ajouté. Je sais que cela peut paraître très naïf, mais ils ont bien apprécié mon intervention. Quelqu'un a même proposé de changer l'ambiance des dîners et d'organiser un tournoi de pétanque, qui se déroulerait dans le parc les mercredis et vendredis à midi quinze. La plupart ont accepté. Régis jubilait : « Si ça vous dérange pas de tous vous faire torcher... » Puis nous sommes retournés au bureau très détendus et enthousiastes à propos de nos nouvelles idées. La journée de travail a été, somme toute, constructive. Tout à fait le contraire de ce que j'avais imaginé.

Je quitte le bureau tout ragaillardi et je me précipite à la librairie pour acheter *Les Trois Sœurs*. Je fais le tour des rayons et je ne le trouve pas. Je vais m'informer au libraire.

« Pardon, monsieur. Avez-vous *Les Trois Sœurs* de M. Anton...

– Tchekhov... Oui bien sûr... »

Il m'emmène dans la section de la librairie où est classé le théâtre. Et me tend le livre.

« Ah ! merci beaucoup. »

En prime j'ai aussi *Oncle Vania* et *La Cerisaie*... Formidable !

Je regarde la couverture et pars immédiatement à Moscou, que je n'ai jamais vue...

« Est-ce que vous cherchez autre chose ?

– Non, pas pour le moment... Mais j'aimerais peut-être acheter une biographie de M. Anton...

– Tchekhov. Oui je vais chercher dans le répertoire et vous pourrez choisir celle que vous voulez commander. Moi j'en ai pas ici. Pis j'en tiendrai jamais non plus... »

Nous nous rendons au comptoir.

« Ah bon. Pourquoi donc ?

– Par principe. Je garde ici seulement les ouvrages que j'ai lus ou voudrais lire.

– Et vous lirez jamais une biographie de M. Anton... » J'attends qu'il réponde Tchekhov, mais rien ne vient.

« ...Tchekhov ?

– Non. J'en lirai jamais.

– Et pourquoi ?

– Parce que je le déteste.

– Ah oui ? Je pensais pas que ça pouvait exister.

– Qu'est-ce que vous voulez dire ?

– Je pensais pas que ça pouvait exister quelqu'un qui aime pas Tchekhov... Je sais pas... Je le connais pas beaucoup mais il me semble que c'est un génie, non ?

– Ça empêche pas de le détester.

– C'est sûr... Alors comme ça vous les avez lues, ces trois pièces, là, puisque vous les avez dans votre magasin...

– Oui et je dois malheureusement les garder en stock. Comme on joue présentement *Les Trois Sœurs*, les étudiants en demandent beaucoup.

– Ah. J'ai vu la pièce l'autre soir. J'ai été bouleversé. Vraiment... C'est pour ça que je voulais l'avoir. Pour pouvoir la lire autant de fois que je voudrais. Parce que ce qui se dit dans cette pièce-là... Y a des choses... »

Je feuillette les pages pour trouver un bon exemple... Je trouve ceci que je lui lis : « *Oui, on nous oubliera. C'est notre sort, rien à faire. Un temps viendra où tout ce qui nous paraît essentiel et très grave sera oublié, ou semblera futile. Curieux, mais il nous est impossible de savoir aujourd'hui ce qui sera considéré comme élevé et grave, ou comme insignifiant et ridicule. Les découvertes de Copernic, ou, disons, de Christophe Colomb, n'ont-elles pas d'abord paru inutiles et risibles, alors qu'on ne cherchait la vérité que dans les phrases alambiquées d'un quelconque original ? Il est possible que cette vie que nous acceptons sans mot dire paraisse un jour étrange, stupide, malhonnête, peut-être même coupable...*

– Oui, c'est sûr que tout Tchekhov est pas complètement bête... Mais attendez de lire *La Cerisaie*... Celle-là est plate !

– Ah ! Pourquoi ?

– C'est une gang de ti-vieux pis de dépressifs qui retournent dans la maison de campagne de leur enfance. Ils vont passer leurs étés là depuis des siècles. Pis là ils sont obligés de vendre la maison, parce qu'ils ont plus d'argent... La gang de gros pleins... Je peux pas croire ça... Pis là i la vendent à un de leurs anciens employés... Parce qu'on est en pleine révolution russe là, hein ?... En tout cas au début de la révolution... Pis là les kriss de pleins i arrêtent pas de se plaindre... Ah ! La datcha ! La datcha de notre jeunesse et de notre enfance... Ah ! Les cerisiers... Parce que le nouveau propriétaire fait couper les arbres... Ah ! Les arbres... Ah ! la datcha... Ça se plaint de même tout le long, toi... Moi, vient un moment donné... Quand j'ai vu la pièce, c'est pas mêlant j'avais juste envie de me lever debout pis de crier : Vendez-la la tabarnak de datcha ! Qu'on en finisse !... – Oui madame ? Je peux vous aider ? – Excusez-moi mais j'ai d'autres clients qui attendent...

– Ah oui... oui bien sûr... Faites, faites... Je pense que je vais attendre pour la biographie finalement... Combien je vous dois ? »

Je paie et je me dirige vers la sortie. Juste avant que je franchisse le seuil, il me lance : « Bonne lecture ! » Et il fait mine de bâiller en se couvrant la bouche de sa main.

Je suis secoué, j'avoue. Comment peut-on être aussi irrespectueux d'un génie de la littérature ?... Est-ce que ça se pourrait que ça soit ennuyeux finalement ? Que je me sois trompé ? Je décide de retourner voir la pièce. Je m'arrête dans une cabine téléphonique et je réserve deux billets pour le lendemain soir. De bons billets. Le plus près possible. J'espère que Claudette ou Nadine ou Quentin pourra venir la voir avec moi... C'est cher, mais je crois que ça vaut la peine...

Je me dirige vers la maison en me disant que c'est finalement avec Jean-Guy que je préférerais y aller. Mais dans sa condition, il lui est impossible de sortir de l'hôpital... Tiens, je vais aller le voir et lui en lire des passages. Mais il ne faudrait pas l'importuner tout de même, comme c'est arrivé avec le type de la librairie... Au coin de la rue, je change de cap pour aller à l'hôpital.

Je passe à l'endroit où se tient d'habitude la vendeuse de *La Quête*. D'ailleurs, c'est écrit en feutre sur le mur juste au-dessus de sa tête. On le voit bien quand elle est accroupie : « spot à Nicole ». C'est sûrement son nom : Nicole. Elle n'y est pas pourtant. Et juste au-dessous de « spot à Nicole » se trouve un gros gars qui ne donne pas l'impression de sentir la fleur. Il a un énorme paquet de cheveux emmêlés comme de la laine, genre rasta. Il lui manque ses incisives d'en haut. Il me dit : « Vournal *La Quête*... »

Ah non... Pas une troisième fois...

Eh oui, une troisième fois !

Je continue mon chemin et puis tout d'un coup je m'arrête. Je retourne voir le rasta.

« La jeune femme qui est là d'habitude... Nicole, je crois ?...

– ...

– Euh..., c'est bien Nicole ?

– Ouais...

– Pourquoi elle est pas là aujourd'hui ?

– À l'hôpital.

– Ah ouais ?
– À l'Hôtel-Dieu.
– Ah ouais ?
– A s'est faite battre. Est aux soins intensifs...
– Pauvre elle...
– C'est pas drôle...
– Merci là... Bonjour...
– C'est ça... »

J'allais justement voir Jean-Guy à l'hôpital pour lui lire, peut-être, quelques passages des *Trois Sœurs.* Je passerai donc voir Nicole aussi. Je me sens tout à coup investi d'une mission humanitaire. J'irai voir Nicole ! Oui... C'est ça... Je continue à me motiver en me dirigeant d'un pas rapide vers l'hôpital.

La distance est appréciable, mais je m'en fous. Le nez dans le livre que je viens d'acheter, je cherche les passages que je lirai à Jean-Guy, à Nicole, pas nécessairement les plus signifiants, mais les plus « heureux », pourrait-on dire. Lorsque je lève les yeux du livre, pour éviter une flaque d'eau ou pour ne pas rentrer dans un poteau, je remarque qu'il y a toujours quelqu'un pour me regarder en ricanant, la main devant la bouche. Je renvoie un sourire à la plupart d'entre eux, mais lorsque j'aperçois un autobus entier d'écoliers tordus de rire, je m'arrête un peu pour chercher l'origine de tant d'euphorie. Non que cela me déplaise, mais il y a quelque chose de louche devant tant de bonheur.

Il aurait fallu que je me souvienne m'être accoutré à la Elvis Presley dans le film *Tutti-Frutti Hawaï* pour comprendre ce qui provoquait l'hilarité générale. Pour échapper un peu à cette attention, je décide d'entrer dans le café où je m'étais réfugié déjà. J'y avais alors remarqué un soupçon de folie, mais cette fois-ci c'est encore plus délirant : tout s'y décline en une furieuse comédie musicale. Quelqu'un, un drôle de type, passe devant moi en esquissant un pas de danse tout à fait ridicule ; la serveuse, cette mère-épouse-amante parfaite, joue des percussions avec son plateau et ses couverts ; des clients d'ordinaire fourbus à cette heure ont entonné en chœur un air absurde. Le tout s'accélère dangereusement et je suis cloué sur le seuil tant l'excitation autour de moi bat son plein. J'ai l'impression d'être à IMAX. Soudainement, j'ai envie d'être avec Claudette et les enfants pour partager ce vrai moment d'euphorie, pour plonger avec eux dans ce tourbillon fantastique. J'aimerais être avec mon père et ma mère et avoir cinq ans !

L'espace du café se rétrécit dangereusement cependant, le son enfle, les bruits s'amplifient, deviennent de plus en plus stridents jusqu'à rejoindre une même note continue, sans équivoque.

[L. C.]

Chambre 407.

Je suis au chevet de Jean-Guy et il pleure. J'ai l'air complètement idiot avec mon habit tropical taché de crème glacée, un sourire figé sur mon visage, une paire de billets de théâtre dans la poche de ma chemise hawaïenne et un livre déjà tout tordu dans la main. Je dois ressembler à un prêcheur illuminé en quête d'ouailles à convertir... Le silence qui suit est particulièrement pénible. Je comprends qu'il a eu de nouveaux résultats...

« Euh... Ça va ?... Veux-tu que je repasse à un autre moment ?

– Tu vas-tu repasser me voir de même tous les jours ?

– Oui... euh, non, c'est juste qu'aujourd'hui, c'est spécial.

– Comment ça ?

– Parce que... j'ai décidé... ou plutôt le hasard a fait que...

– Le hasard. Tu sais ce qu'il m'a réservé comme surprise à moi, ton hasard ?

– ...

– Tabarnak. »

[Je passe au IL.]

Son visage se ferme, il se détourne de l'homme, puis emprunte à Touzenbach ces mots terribles : « Et dans mille ans, l'homme soupirera encore en disant « Ah ! que la vie est dure », et exactement comme aujourd'hui, il aura peur de la mort et ne voudra pas mourir. » On entend un battement d'ailes, comme un gros oiseau qui s'envole précipitamment, laissant là son nid et ses oisillons.

Retour à la rue.

Notre homme est immobile sur le trottoir, mais il n'y a plus personne. On entend l'orage qui se pointe au loin. Il a l'air franchement ridicule maintenant dans son costume. Il semble attendre que l'averse se déchaîne sur sa chère personne. Une sirène d'ambulance déchire l'espace. Lourdeur. Soudain, la femme de *La Quête* sort de l'hôpital, tuméfiée, l'air hagard, probablement encore sous anesthésie. Elle fouille dans ses poches. Elle cherche certainement de la monnaie pour prendre un taxi.

L'homme la regarde, toujours immobile. Il ne sait trop s'il doit l'aider. Si oui, comment ? En lui donnant de son argent ? En lui achetant toute une pile de son dernier numéro ? En l'invitant au café pour un gros repas bien arrosé, puis au théâtre pour voir la pièce, puis chez lui, sur son balcon, pour écouter le concert de ses voisins de palier qui répètent leur scène de soir en soir depuis trois jours, à croire qu'ils cherchent à faire des bébés aujourd'hui eux autres !

[Ici, je me permets de situer le spectacle le soir même, plutôt que le lendemain, comme l'avait proposé Lorraine, question de faire débouler les choses plus rapidement.]

La pluie commence à tomber. Il sort de sa torpeur le temps de réaliser qu'il n'aura probablement pas le temps de retourner se changer chez lui avant le début de la représentation. Vite, il quitte l'hôpital, ne jetant même pas un regard à cette femme qu'il avait envie de « sauver » une demi-heure plus tôt. Il a honte. Il se sent un peu bête avec sa paire de billets, car il ne sait vraisemblablement pas à qui ira le second. Comme la pluie tombe de plus en plus fort, il s'abrite dans un abribus non loin de là. Le jeune homme qu'il avait entraperçu le matin même à un autre arrêt d'autobus, celui qui n'a pas l'air « vite vite », est là. Ce garçon le regarde fixement, très sérieusement. Il cherche à se rappeler où il aurait bien pu voir ce drôle d'énergumène accoutré comme un Mexicain. Voilà, il le reconnaît ! Son large visage se fend alors d'un non moins large sourire. Il s'exclame :

« Bonjour !

– Pardon ?

– Bonjour !

– Bonsoir, plutôt, oui.

– Oui bonsoir ! Vous êtes en vacances ?

– Non, non. Mais, t'aurais dû me voir hier... »

Notre homme cherche visiblement à amuser le jeune homme avec cette triste allusion à la vieille publicité de NeoCitran des années quatre-vingt. Bien que cette intervention n'ait suscité aucun émoi chez son interlocuteur, il poursuit la conversation, mais divague complètement.

« Non, en fait, je pensais qu'on était un beau dimanche en plein mois de juillet. Un dimanche où tout le monde a déserté la ville pour aller se trouver de l'ombre dans des coins plus frais. Genre dans un endroit où tu peux te faire oublier un peu, même tout à fait, mais où il finit par te pogner des « ennuitoires » de l'enfer.

– Oui ?

– Oui.

– J'comprends.

– Ah. OK.

– Alors tu vas pas en vacances ?

– Non, en fait je suis en train de me demander si je ferais pas mieux d'aller manger quelque part, parce que je vais voir un show de théâtre pis ça commence dans une heure et demie. Juste ici pas loin. Je pense pas avoir le temps de retourner chez nous. Mais je ne me suis pas apporté de travail, faque j'ai pas grand-chose à faire en attendant...

– Qu'est-ce que tu lis ?

– C'est le show. C'est le texte du show que je vais voir. Je l'ai déjà vu, mais j'y retourne. Avec le texte.

– Pour comprendre ?

– Pour bien comprendre. Bon excuse-moi mon ami, mais comme il pleut pus...

– On n'est pas tes amis ! »

Le jeune homme rigole de sa farce plate que tout le monde connaît. Mais l'homme ne la trouve pas particulièrement drôle dans les circonstances. Il cherche à s'éclipser d'ailleurs.

« Ouais. Ben, peut-être qu'on va finir pas prendre l'autobus ensemble un jour, hein, jeune homme ?

– Oui. Bonne chance. »

Bien que lancée de manière tout à fait anodine, cette dernière réplique du jeune homme sidère notre homme qui, après avoir fait quelques pas hors de l'abribus, revient à sa rencontre et lui demande : « Pourquoi tu me dis ça ? »

Rémi regarde déjà ailleurs. Il sifflote un air ultra-connu et ignore tout à fait la question. Sonné, notre homme décide de poursuivre son chemin. Non loin de là, il passe devant le théâtre qui présente *Les Trois Sœurs*. Au moment où il y jette un œil, il croit voir une des trois sœurs qui s'apprête à y entrer. C'est Olga, la troisième des sœurs. Il l'appelle aussitôt.

« Mademoiselle Olga ! Olga ! Mademoiselle !

– Oui ? répond la comédienne, étonnée de se faire appeler ainsi, mais jouant néanmoins le jeu.

– Mademoiselle Olga. Permettez-moi de vous faire le baisemain de rigueur, dit-il en s'exécutant maladroitement. Puis, est-ce qu'elle est vendue, cette maison-là ? »

Olga rit. Elle ne sait pas quoi dire. L'homme poursuit:

« Je me suis dit une chose, mademoiselle. J'ai moi-même une épouse qui serait vraiment bien placée pour vous la vendre, cette datcha-là. Là, elle est rushée un peu, parce qu'elle s'est pas encore débarrassée de sa « grosse maudite », mais d'ici une semaine ou deux, il devrait pas avoir de problèmes...

[H.F.]

... pis je vous jure qu'elle va vous faire faire des gros profits. »

La comédienne le regarde sans broncher.

« Excusez-moi, mais je dois aller me préparer.

– Oui, oui, pardon, euh... Pardon, pardon, je sais pas ce qui m'a pris.

– Sans faute. Bonne soirée. »

Elle s'éloigne un peu.

« Mademoiselle Olga ! Mademoiselle Olga !

– Oui...

– Une dernière chose pis après je vous laisse tranquille. Pouvez-vous me dédicacer mon livre ? Je viens de m'acheter *Les Trois Sœurs*... ben, en fait, l'ouvrage complet pis...

– C'est correct, c'est correct. »

Elle s'approche de lui, prend le livre, M. L'Homme lui tend un crayon.

« C'est à quel nom ?

– L'Homme. »

La comédienne le regarde, un peu tannée.

« C'est vrai, c'est mon nom : M. L'Homme. »

Elle soupire, ouvre le livre et pendant qu'elle écrit, M. L'Homme se penche légèrement sur elle, ferme les yeux et hume son odeur. Un parfum d'exotisme envahit l'air, un subtil mélange de lilas, de loukoum et de vieilles photos restées trop longtemps dans une malle. On pourrait presque entendre une vieille balalaïka jouer un air russe nostalgique.

« Voilà, M. L'Homme, maintenant faut vraiment que j'y aille. »

Sous le coup d'une folle impulsion, M. L'Homme prend mademoiselle Olga dans ses bras, l'embrasse sur la bouche et lui dit : « Moi aussi j'aimerais partir pour Moscou. »

Elle le repousse violemment et recule, affolée.

« Faites-vous soigner. Vous êtes fou ! »

Elle se détourne et va ouvrir la porte qui donne sur les loges.

Deux femmes se tiennent là.

Elles sont étrangement vêtues. Elles portent chacune une longue redingote noire, un chapeau haut-de-forme et de petites lunettes fumées.

À leurs bras pendent deux valises noires.

La porte se referme doucement.

Silence.

M. L'Homme reste là, immobile, statufié, bouleversé.

Que vient-il de faire ?

Il avait parlé à une inconnue, lui avait demandé un autographe et finalement l'avait embrassée.

Trois choses qu'il n'avait jamais faites.

M. L'Homme est resté là, figé devant la porte du théâtre deux heures avant la représentation. Peu à peu, les spectateurs sont arrivés, ceux qui aiment bien prendre leur temps, ceux qui attendent un ami, la foule des ponctuels, les retardataires et finalement les zenretardataires.

Tous l'ont contourné, peu l'ont remarqué.

Délicatement, une jeune placière qui ressemble étrangement à sa fille vient à lui et lui dit doucement :

« Monsieur ? Venez-vous pour le théâtre ? »

Un temps.

« Monsieur ? ! Ouh-ouh...

– Oui.

– C'est parce que ça va commencer dans quelques instants. Si vous venez pas tout de suite, vous pourrez pas entrer. Les retardataires sont pas admis.

– Excusez, j'étais... ailleurs. »

Ils marchent vers la porte principale.

« C'est drôle, vous ressemblez à ma fille.

– Moi, c'est fou, je ressemble toujours à quelqu'un. Voilà, c'est ici. Bonne soirée. »

La jeune fille s'éloigne.

M. L'Homme entre dans la salle de spectacle.

Émotion.

Le cœur de M. L'Homme se met à battre très fort. Comme avant un rendez-vous, mais pas le premier, le deuxième. C'est encore pire. Celui qui est rempli de promesses. Celui qui confirmera peut-être si un avenir est possible.

Les lumières de la salle s'éteignent lentement. M. L'Homme est encore là, debout, derrière la salle.

Dans un concert de « Oh ! », « Chut ! » , « Silence ! », il gagne prestement sa place en écrasant quelques pieds et un sac à main malgré mille précautions. Horreur !

La pièce commence. Maintenant tout va bien aller. Enfin !

Dès la première réplique, M. L'Homme se met à pleurer doucement. Il pleure sur la pièce, mais aussi sur sa vie, sans trop savoir pourquoi.

Il étouffe un gros sanglot lorsqu'une des trois sœurs dit : « J'oublie chaque jour davantage et la vie passe, et elle ne reviendra jamais. »

Tout à coup, pendant que le personnage de Verchinine lance : « Je me dis souvent : si l'on pouvait recommencer sa vie une bonne fois consciemment », M. L'Homme voit Claudette, oui, sa femme Claudette, entrer par la porte du fond, déposer son sac et ses clés et crier : « Bonjour les oiseaux ! Je suis revenue ! »

Horrifié, M. L'Homme se cale dans son fauteuil et regarde autour de lui. Les gens ne semblent pas avoir remarqué l'arrivée de ce personnage pour le moins étrange.

Puis, une des trois sœurs revient sur scène.

C'est sa fille ! Elle met la table tout en débitant les répliques de la pièce.

Enfin, son fils sort de sa chambre pour se jeter sur une pizza fraîchement sortie du four. Il engloutit avidement une pointe.

Que se passe-t-il ? Il ne mange jamais autant.

M. L'Homme voit alors une des trois sœurs s'approcher de son fils, se pencher et l'embrasser goulûment. Ce dernier répond au baiser avec grand bonheur. Voilà la raison de son appétit féroce : Quentin est amoureux !

M. L'Homme assiste alors à un étrange spectacle. Pendant plus d'une heure, la pièce emprunte à la fois les répliques des *Trois Sœurs* et celles du récit de la vie familiale, donnant ainsi un ton résolument moderne au texte de M. Anton.

Plus tard, un autre événement insolite arrive.

En récitant la fameuse réplique sur la vie, Touzenbach se déshabille lentement, laissant voir peu à peu sous son costume une longue jaquette d'hôpital.

C'est Jean-Guy.

« C'est comme si je voyais ces sapins, ces érables, ces bouleaux, pour la première fois de ma vie. Qu'ils sont beaux, ces arbres, et comme la vie devrait être belle auprès d'eux. »

Puis Jean-Guy regarde directement M. L'Homme. Il est calme.

« Vois-tu, cher ami, nous n'avons rien, nous ne sommes rien, la vie est tellement plus vaste que moi. Je ne peux rien te donner, sinon le souvenir qui va rester de moi après ma mort. Mon ombre. Garde-la. Emporte-la, comme je garde le souvenir de mes proches. Ce soir, ils sont là, je les sens. *Eh bien, si je devais mourir, il me semble que je participerais encore à la vie, d'une manière ou d'une autre. Adieu.* »

M. L'Homme veut le retenir, lui poser des questions sur ces étranges paroles. Mais Jean-Guy a déjà disparu, ne laissant que son ombre et celle de la chaise sur le mur du décor.

M. L'Homme manque d'air.

Il se lève, veut rejoindre la sortie.

Il s'enfarge, bouscule les gens, se noie dans une mer de manteaux, de bras et de petits bonbons plastifiés.

Enfin, après de nombreux efforts, il gagne l'escalier qui mène à la sortie.

Il court jusqu'à la sortie.

Il court jusqu'à l'hôpital.

Il court jusqu'à la chambre 407.

Par la vitre, il voit la femme, la sœur et la fille pleurer.

Il préfère rebrousser chemin et rentrer chez lui, rejoindre les siens.

La maison est calme. Le salon est vide. De la chambre de sa fille, on entend Bach en sourdine. Il cogne.

« Oui ?

– Je peux entrer ?

– Euh... oui.

– Euh... Je te dérangerai pas longtemps. Je peux m'asseoir ? Non, non, non, continue. Fais comme si j'étais pas là. Je veux juste te regarder.

– Ben... OK ! »

Elle retourne à ses livres. M. L'Homme la regarde. Il murmure : « *Dans deux ou trois cents ans la vie sera indiciblement belle, étonnante. L'homme a besoin d'une telle vie ; et il doit la pressentir, l'attendre, en rêver... s'y préparer.* Es-tu d'accord, ma chouette ?

– Papa ! C'est parce que j'étudie, là ! répond-elle un peu durement.

– S'cuse ! S'cuse ! »

M. L'Homme se couche sur le lit de sa fille, colle son corps sur la douillette et enfouit son visage dans l'oreiller. Il reste là quelques instants. Puis il ouvre les yeux et voit sa fille qui le regarde, intriguée.

Il se lève.

« Bonne nuit, là. »

Il sort. Passe à sa chambre. Il fait noir. La silhouette rassurante de Claudette repose dans le lit conjugal.

En silence, il se déshabille, enlève sa chemise, ses bas et ses pantalons. Suit alors le scénario classique : tout son petit change tombe sur le plancher dans un bruit de cascade métallique, et M. L'Homme lance un solide « Eh tabarnak ! »

Il s'avance doucement vers le lit, il entend au loin les cris de jouissance du « couple en rut de l'été ». Comme c'est rassurant !

Mais tout à coup, les cris se transforment. Au lieu du yodle extatique final habituel, une chicane monstrueuse. Décidément, ce soir rien n'est normal.

En revenant au lit, il se frappe le petit orteil sur quelque chose qui traîne par terre.

« Quessé ça, câlice ! ? »

Il se penche et aperçoit trois valises noires ! Vaut mieux se coucher près de Claudette. Son amour. Sa bouée de sauvetage.

Il s'allonge à côté d'elle, se presse doucement contre sa poitrine.

Le corps n'est pas le même.

Son sang se glace.

Il ouvre les yeux.

À la place du regard bleu de sa femme, il aperçoit celui, noir, d'une des trois sœurs.

Il se retourne pour échapper à ce cauchemar. Une deuxième sœur est allongée près de lui et lui barre la route.

Il se redresse. La troisième est au pied du lit.

Elle murmure :

« Chut... Chut... Calmez-vous. Nous ne voulons que votre bonheur. Dormez maintenant. » [Scène à développer éventuellement.]

Elle vient les rejoindre. Le cauchemar est fini.

M. L'Homme s'endort comme un bébé, lové contre les trois magnifiques déesses.

Une nuit parfaite, sans rêve ni cauchemar.

Le lendemain matin, M. L'Homme se réveille. La maison est silencieuse. Plus aucune trace des trois sœurs. Ni de Claudette d'ailleurs.

Il se lève avec une envie d'acheter des choses inutiles. Par exemple : deux cents roses qu'il s'offrirait à lui-même.

Sur la table de la cuisine, le livre de Tchekhov traîne.

Il est sur le point de le jeter.

De ce dernier s'échappe une paire de billets pour la représentation du soir.

La dernière.

[M.-J. B.]

[Je reprends à partir de la scène dans le lit...]

« Chut... Chut... Calmez-vous. Nous ne voulons que votre bonheur. Nous vous avons entendu pleurer ce soir et nous sommes venues vous réconforter.

– Ah ! C'est que je ne comprends plus où j'en suis... Jean-Guy, mon collègue, vient de mourir et je crois que je ne lui ai jamais dit qu'il comptait pour moi. Ma femme... Ma fille... Mon fils... Tout est devenu confus... Ma vie... Quel est le sens de tout cela ? »

Les trois sœurs se regardent. Elles esquissent un sourire « jocondien ». La troisième sœur vient les rejoindre dans le lit.

« Ne pensez plus à tout cela... Dormez maintenant. »

M. L'Homme s'endort comme un bébé, lové contre les trois magnifiques déesses. Une nuit parfaite, sans rêve ni cauchemar.

Le lendemain matin, M. L'Homme se réveille. La maison est silencieuse. Plus aucune trace des trois sœurs. Ni de Claudette d'ailleurs. Il se lève avec une envie d'acheter des choses inutiles. Par exemple : deux cents roses qu'il s'offrirait à lui-même.

Sur la table de la cuisine, le livre de Tchekhov traîne.

Il est sur le point de le jeter.

De ce dernier s'échappe une paire de billets pour la représentation du soir.

La dernière.

Il se souvient à peine de ce qui s'est passé la veille. Un épais brouillard dans son cerveau. Est-il allé au théâtre ? Il se souvient de la crème glacée, de sa chemise à fleurs, de Nicole, du parfum d'Olga... Tout à coup, son cœur se serre : il revoit Jean-Guy.

Il pense à la Vie.

Il descend prendre son petit déjeuner. La maison est vide. Où sont passés sa femme, sa fille et son fils ? Il regarde sur le calendrier le jour de la semaine...

Samedi... Claudette est à son cours de peinture, Nadine est chez son copain et Quentin a sûrement couché chez un de ses amis...

Une odeur réconfortante de café emplit la cuisine. Un rayon de soleil entre par un carreau de la fenêtre. Il s'assoit à la table. Il verse le sucre dans son café. On entend les cloches d'une église au loin... Il revoit son mariage, il y a de cela vingt-deux ans... Les fenêtres et portes de sa maison font une ronde autour de lui. À travers, il voit la naissance de sa fille, son premier baiser avec sa femme, les premiers pas de son fils, sa mère qui lui sert son petit déjeuner... Sa vie tourbillonne autour de lui. Il est heureux. Il aime ce qu'il voit.

Le sucre déborde de sa tasse. Encore une fois.

Il sort sur son balcon prendre une gorgée d'air. Il entend la musique de ses voisins qui a vraiment changé d'air : *Scherzo d'injures con anima.* Leur fenêtre ressemble à un castelet : ballet d'objets volants. La tension monte. L'homme reste là, bouche bée. Il entend des portes claquer. Il décide de descendre quelques marches et s'approche de leur demeure lorsque soudain, sa belle voisine sort en coup de vent. Une panthère aux yeux rouges. Elle tient une valise noire. Elle se retourne et crie :

« Maudits gars ! Vous êtes tous pareils ! »

Elle croise dans sa colère les yeux de l'homme qui la regarde. Elle éclate en sanglots et tire sa valise sur le bord de la rue. Elle s'effondre sur le trottoir. Petite bête sans défense. M. L'Homme s'approche tout doucement. Il sent qu'il peut l'apprivoiser. Il s'assoit à ses côtés en silence. Il la prend dans ses bras et la berce. Decrescendo des sanglots. L'Homme sent la fragilité de cet être et il est ému. Il la relève et l'emmène chez lui. Elle suit sans protester, tel un enfant qui s'est blessé en courant. Il tient dans sa main gauche une valise noire et dans la droite, une petite fille de trente ans.

Dans la cuisine, il lui sert une bonne tasse de café chaud. Aucun mot n'a encore été prononcé. Le calme après la tempête.

« Je l'aime.

– Je sais. »

Elle sourit à cet homme, ce voisin, M. L'Homme. Elle ressent une immense tendresse pour cet homme qu'elle voit comme un père. L'Homme voudrait lui dire : « J'ai besoin de vous. D'entendre tous les soirs votre chant à la vie. J'entends que je suis vivant et que je dois jouir d'être là ! » Il va chercher son livre de Tchekhov, s'assoit et l'ouvre :

« Quelles bêtises, quels détails stupides, prennent soudain de l'importance dans la vie, sans rime ni raison. C'est comme si je voyais ces sapins, ces érables, ces bouleaux, pour la première fois de ma vie. Ils me regardent avec curiosité, ils attendent... Qu'ils sont beaux ces arbres, et comme la vie devrait être belle auprès d'eux ! »

La belle nivéa aux yeux caraïbes est de retour. Elle se lève, l'embrasse sur la bouche et sort. L'homme reste là, assis dans son extase. Il lévite. Il vole avec ses sœurs oies. Il survole l'océan et les beautés de la Terre.

Lorsqu'il revient sur terre, il marche sur le trottoir. Il prend conscience que ses pieds l'emmènent directement à son café habituel. Il entre. « Dling-dling », chante la clochette de la porte. Il se dirige vers sa table mais quelqu'un y est déjà : Rémi, le garçon de l'arrêt d'autobus. Il fait demi-tour puis se résigne. Il va à sa table :

« Eh ! Comme j'ai de la chance !

– Ah ! Bonjour !

– Je peux...

– Ah ! oui ! il n'y a personne... »

M. L'Homme s'assoit. La belle serveuse de toujours est de service. Il commande un café pour lui et un soda pour son ami Rémi (qui lui rappelle qu'il n'est pas son ami !).

Rémi se mit à lui raconter toutes sortes de choses dont ses aspirations à rendre les autres heureux. Sa quête dans la vie : briser la monotonie des gens. L'autre jour, il avait été très content de rencontrer M. L'Homme avec une chemise hawaïenne.

Briser l'habituel, changer de chemin pour se rendre au bureau, ne pas utiliser les mêmes mots pour commander son dîner, regarder les toits des maisons lorsqu'on marche dans la rue, acheter *La Quête*... c'est ce qui fait le bonheur et qui donne la satisfaction d'être en vie à chaque instant. Ce petit Rémi rendait l'homme très heureux : il avait réussi sa mission !

[Je passe au JE.]

Je regarde l'heure. Dix-neuf heures. Déjà. J'offre à Rémi le deuxième billet pour la dernière de la pièce des *Trois Sœurs*. Il me dit qu'il doit aller manger chez sa mère, mais qu'il me remercie pour l'invitation. Encore un billet de trop. À qui vais-je le donner ? Je paie. Je donne une bonne poignée de mains à Rémi, qui me dit :

« À bientôt, mon bon ami ! »

Je lui souris en lui donnant une bonne tape dans le dos.

Je sors du café. Une brise fraîche et douce me caresse le visage. Un parfum de lilas me chatouille les narines. Je revois le visage d'Olga. Je presse le pas vers le théâtre, livre en poche et billets en main. Je passe à côté de Nicole recroquevillée, *La Quête* à la main.

« Bonsoir Nicole !

– Euh... Salut !

– Viens avec moi. J'ai une surprise pour toi.

– Une surprise... »

Elle me regarde avec ses yeux bouffis et bleuâtres. Elle est stupéfaite :

« Personne m'a jamais fait de surprise... Je sais pas... »

Je la prends par la main, pour briser sa monotonie. Elle me suit en riant. Je fais son bonheur. Nous sommes à l'entrée du théâtre. Elle ne comprend pas. Elle sourit de toutes ses dents.

Nous entrons dans la salle, dans une demi-pénombre. On s'assoit. C-4, C-6. La salle s'assombrit et le spectacle commence. Je revis chaque moment avec encore plus d'excitation, d'émotion et de fougue. Les comédiens sont à leur meilleur. Je sens leur pulsion, leur élan. Je déguste chacune de leurs répliques. Et enfin, le moment de grâce : l'échange entre le baron Touzenbach et Macha, que je connais maintenant par cœur :

« Les oiseaux migrateurs, les cigognes, par exemple, doivent voler, et quelles que soient les pensées, sublimes ou insignifiantes, qui leur passent par la tête, elles volent sans relâche, sans savoir pourquoi, ni où elles vont. Elles volent et voleront, quels que soient les philosophes qui volent parmi elles ; elles peuvent toujours philosopher, si ça les amuse, pourvu qu'elles volent… »

Je me lève brusquement et dis :

« Tout de même, quel est le sens de tout cela ? »

Silence dans la salle. Les spectateurs me regardent. C'est bien vrai : je suis debout, dans le théâtre, et je marche vers la lumière. Je monte sur la scène et je répète :

« Tout de même, quel est le sens de tout cela ? »

Touzenbach me réplique :

« Le sens… Regardez, il neige. Quel est le sens ? »

Je regarde par la fenêtre et lui réponds :

« Il me semble que l'homme doit avoir une foi, du moins en chercher une, sinon sa vie est complètement vide… Vivre et ignorer pourquoi les cigognes volent, pourquoi les enfants naissent, pourquoi il y a des étoiles dans le ciel… Il faut savoir pourquoi l'on vit, ou alors tout n'est que balivernes et foutaises. »

Tout en disant ma réplique, j'entrevois par la fenêtre des gens marcher dans la rue. Étrangement, ce sont mes proches : ma femme, ma fille, mon fils, Jean-Guy, mes collègues, ma voisine, la serveuse, la jeune fille du journal *La Quête*... Je les regarde d'au-dessus, je ne les avais jamais regardés de cet angle. J'ai une étrange sensation : j'ai l'impression que ma vie prend une nouvelle dimension. Et je souris.

[V. M.-W.]

LENTEMENT LA BEAUTÉ

La pièce

La pièce *Lentement la beauté* a été créée par le Théâtre Niveau Parking, le 1er avril 2003, au Théâtre Périscope (Québec).

Texte : Michel Nadeau, en collectif avec Marie-Josée Bastien, Lorraine Côté, Hugues Frenette, Pierre-François Legendre, Véronika Makdissi-Warren et Jack Robitaille

Mise en scène : Michel Nadeau
Assistance à la mise en scène : Anne-Marie Olivier

Distribution :

Jack Robitaille : M. L'Homme

Marie-Josée Bastien : Anita et Femme 2, Infirmière, Olga

Lorraine Côté : Claudette, Nicole et Femme 1, Metteure en scène, Fille 1, 2e Amie, Épouse, Macha

Hugues Frenette : Quentin et Homme 1 et 4, Verchinine, Libraire, Infirmier, Journaliste, 4e Ami, Jeff, Père, Touzenbach

Pierre-François Legendre : Momo, Sylvain et Homme 2 et 3, Carrier, Jeune homme, Gars 1, 1er Ami, André, Mari, Tcheboutykine, Comédien, Chum

Véronika Makdissi-Warren : Nadine, Cathya et Femme 3 et 4, Irina, Fille 2, 3e Amie, Comédienne

Décor : Monique Dion

Costumes : Marie-Chantale Vaillancourt

Éclairage : Denis Guérette

Conception sonore : Yves Dubois

Remerciements à Bertrand Alain pour avoir participé aux ateliers d'improvisation.

Certaines répliques sont tirées de la pièce *Les Trois Sœurs* d'Anton Tchekhov, dans la traduction française de Génia Cannac et Georges Perros (Le Livre de poche classique, 1960) ; d'autres s'en inspirent librement. La citation de la page 145 est tirée d'*À l'ombre des jeunes filles en fleurs,* de Marcel Proust.

Afin de faciliter la lecture de la pièce, il a été décidé de ne pas multiplier les élisions. Les comédiens et le metteur en scène sont invités à rendre compte du niveau de langue populaire de la pièce.

L'acteur qui interprète M. L'Homme entre en scène et s'adresse au public.

ACTEUR – Un homme se prépare pour aller travailler. Ça arrive tous les jours.

M. L'Homme est face à son miroir.

Aujourd'hui il aura une très grosse réunion au bureau. Il doit voir à l'application de la nouvelle réforme gouvernementale. C'est son premier mandat d'importance depuis sa promotion temporaire due au congé de maladie d'une de ses collègues.

Il regarde son visage. Il se sent vieux. Il finit de s'habiller : dernier bouton de chemise, cravate et veston. Se regarde de nouveau : il est prêt.

LA RUE

Dans la rue, beaucoup de gens qui marchent rapidement. M. L'Homme ne marche pas au même rythme que la foule.

Soudain M. L'Homme remarque une vendeuse du journal La Quête, *accroupie contre un mur.*

NICOLE – *La Quête. La Quête.* Journal pour itinérants *La Quête.*

Personne ne s'arrête. On entend un vol d'oies que personne n'entend. M. L'Homme décide d'acheter le journal. Après la vente, la vendeuse s'en va. Il la regarde partir. Puis il lit la une du journal tout en entrant au bureau.

AU BUREAU

Comme dans la rue, il y a tout autant de mouvement et de rapidité. Les silhouettes sont plus personnalisées. C'est l'effervescence des minutes qui précèdent le travail.

M. L'Homme s'arrête à la fontaine. Après avoir bu son gobelet d'eau, il révise ses notes pour la réunion. Deux femmes entrent.

FEMME 1 – Ça m'a tellement saisie quand je l'ai vu là ! Plein de tubes partout ! La semaine passée, il pétait le feu !

FEMME 2 – Pis là, on sait rien, on sait pas si c'est grave.

FEMME 1 – C'est sûr que c'est grave.

FEMME 2 – Pis Réjeanne, qu'est-ce que tu penses qu'elle va faire ?

FEMME 1 – Je le sais pas.

FEMME 2 – Trois enfants. Moi, quand il y a des enfants là-dedans...

L'HOMME – Qui ça ? Qui est à l'hôpital ?

FEMMES 1 ET 2 – Bertrand !

L'HOMME – Bertrand...

FEMME 1 – Bertrand dans *Le cœur au ventre*. Le téléroman.

L'HOMME – Ah !

FEMME 1 – T'écoutes pas ça ?

L'HOMME – Non.

FEMMES 1 ET 2 – T'écoutes pas *Le cœur au ventre* !

L'HOMME – J'écoute pas les téléromans.

FEMME 2 – Lui, tu devrais. Tous ceux qui aiment pas les téléromans, ils aiment *Le cœur au ventre.*

FEMME 1 – C'est un futur Prix Gémeaux, ça c'est sûr. *(S'en allant.)* Pis as-tu vu la grand face à Rachel ?

FEMME 2 – Elle, je l'haïs !

Elles sortent. Entrent un homme et une femme qui traversent la scène.

FEMME 3 – Ils nous coupent les ressources ! Ils veulent qu'on en fasse plus, mais ils nous coupent les ressources !

HOMME 1 – Moi, c'est pareil : tout bloque en haut.

FEMME 3 – Ils nous coupent les ressources !

HOMME 1 – Faire plus avec moins ! Moi, avec moins, je fais moins.

FEMME 3 – Ils nous coupent les ressources pis il faudrait performer.

HOMME 1 – Moi, c'est un congé de maladie de trois mois qui m'attend si ça continue. Comme Monique !

Ils sortent. Un homme entre et s'adresse à M. L'Homme.

HOMME 2 – Eh ! Salut !

L'HOMME – Salut.

HOMME 2 – C'est moi qui prépare le party de Noël, cette année. On a le choix entre deux clowns pis un karaoké. Qu'est-ce que tu choisis ?

L'HOMME – Le party de Noël ! Mais l'été est même pas encore commencé.

HOMME 2 – Non mais si on veut avoir ce qu'on veut, c'est en plein le temps. Clowns ou karaoké ?

L'HOMME – ?...

HOMME 2 – Karaoké, OK ?

L'HOMME – OK.

HOMME 2 – OK, parfait. *(S'en allant, pour lui-même.)* Y en aura pas d'osties de clowns.

Une femme pressée entre, aperçoit M. L'Homme et se précipite vers lui.

FEMME 4 – Allô ! T'es-tu inscrit pour le tirage ?

L'HOMME – Quel tirage ?

FEMME 4 – Le club social. On fait tirer une paire de billets de théâtre. Tu veux-tu t'inscrire ?

L'HOMME – OK. C'est quoi ?

FEMME 4 *(S'en allant, toujours aussi pressée.)* – Je le sais pas, c'est Hélène qui était supposée de s'occuper de ça. J'ai de l'ouvrage par-dessus la tête pis tout le monde me pitche ses affaires parce qu'ils sont débordés. Je le suis-tu débordée, moi !

Deux hommes s'en viennent aussi à la fontaine.

HOMME 3 – C'est une question d'éthique. C'est simple. Là, tu touches à l'éthique.

HOMME 4 – Josée di Stasio a dit que/

HOMME 3 – Josée di Stasio, c'est Pinard qui l'a mise sur la map. Moi, je suis Pinard, pis si Pinard/ *(Voyant M. L'Homme.)* Salut.

L'HOMME – Salut.

HOMME 3 – Heille, toi, mettons que tu fais la tarte aux tomates à Pinard pis qu'il te reste plus de ricotta, qu'est-ce que tu mettrais ? L'autre, il dit du mascarpone.

HOMME 4 – Ben oui, ça se peut.

HOMME 3 – C'est un fromage de dessert, le mascarpone.

HOMME 4 – Pas nécessairement.

HOMME 3 – Moi, je dis, de la feta, pis tu coupes le sel.

L'HOMME – Ouin... Peut-être du fromage de chèvre. Du doux.

HOMME 3 – Ben non, ben non ! Du fromage de chèvre, tu changes tout là !

HOMME 4 – Ouin, mais le feta/

HOMME 3 – *La* feta.

HOMME 4 – La ?

L'HOMME – La.

HOMME 4 – La feta, c'est du fromage de brebis.

HOMME 3 – Ouin, mais... t'sais... Trois-Rivières c'est plus proche de Québec que Montréal. Avec le chèvre, t'es rendu à Montréal.

HOMME 4 – C'est pour ça qu'avec le mascarpone, t'es pas loin d'Issoudun.

HOMME 3 – Issoudun ! Regarde-moi l'autre ! *(À M. L'Homme.)* Coudonc, ça va-tu, toi ? D'habitude, t'embarques plus vite que ça dans/

L'HOMME – Ah ! C'est parce que j'ai une grosse réunion tantôt avec la gang d'en bas pour présenter la restructuration.

HOMME 3 – La gang à Monique ?

HOMME 4 – C'est vrai ! C'est toi qui la remplaces.

L'HOMME – Ouais.

LES DEUX *(Rigolant.)* – Oh boy ! Je voudrais pas être à ta place.

HOMME 4 – Tu la comprends, toi, la restructuration ? ! *(Ils rient.)*

L'HOMME – Faut ben.

HOMME 3 – Ben oui ! La compétence vient avec la promotion, tout le monde sait ça !

HOMME 4 – Méchante promotion !

L'HOMME – On est là pour servir !

LES DEUX *(S'en allant.)* – Bon ben... Salut là ! Bonne chance !

Les femmes 1 et 2 reviennent à la fontaine.

FEMME 1 – Je te le dis, ça m'a tellement saisie quand j'ai appris ça ! Lui qui pète toujours le feu.

FEMME 2 – Pis là, on sait rien, on sait pas si c'est grave.

FEMME 1 – Non. J'espère que c'est rien de grave.

FEMME 2 – Pis Madeleine, a t'a-tu donné d'autres nouvelles ?

FEMME 1 – Non.

FEMME 2 – Deux enfants. Si il fallait... Moi, quand il y a des enfants là-dedans...

L'HOMME – Bertrand va pas mieux ?

FEMME 1 – Bertrand ? Quel Bert/ Ben non, c'est Sylvain !

FEMME 2 – Sylvain est rentré à l'hôpital.

L'HOMME – Sylvain ? Notre Sylvain !

LES DEUX – Oui.

L'HOMME – Quand ça ?

FEMME 1 – Hier. Il avait pris une journée de maladie parce qu'il se sentait pas bien. Il est allé chez le docteur, pis il a décidé d'y faire passer une batterie de tests à l'hôpital.

FEMME 2 – C'est peut-être juste de la fatigue accumulée. Le corps nous envoie des signaux d'alarme des fois, il est pas mal plus intelligent que nous autres.

L'HOMME – Quel hôpital ?

FEMME 1 – Saint-Sacrement. Y a une carte sur le babillard, si tu veux la signer. On va lui envoyer demain.

L'HOMME – Oui, oui, ben sûr. Merci.

FEMMES 1 ET 2 – De rien.

FEMME 1 *(S'en allant.)* – Je sais pas si la grand face à Marielle va la signer.

FEMME 2 – Ah elle ! Je l'haïs assez.

Trois femmes, dont la femme 4, passent en courant. La femme 4 s'arrête tout à coup et s'adresse à M. L'Homme.

FEMME 4 – Est-ce que tu t'es inscrit pour… ? Ah oui, tu t'es inscrit !

Elle continue sa course. M. L'Homme regarde sa montre et se dirige vers la salle de réunion.

M. L'Homme est anxieux. Il vérifie ses notes. Il marche de long en large. Il ne se sent pas prêt. Il vérifie sa montre.

L'HOMME – Voyons, je me suis-tu trompé de local ?

Soudain, il entend les gens qui arrivent. Il a l'impression qu'une horde sauvage vociférante, armée de chaises, se jette sur lui. Tous prennent leur place.

L'HOMME – Je voudrais vous remercier tout d'abord pour votre présence et votre ponctualité. Et puis comme on n'a pas beaucoup de temps, je vais essayer d'être clair et concis. Bon. Vous avez tous reçu l'ordre du jour de la réunion.

CHŒUR – Hum hum.

L'HOMME – Vous avez vu que je vous ai fait parvenir aussi les différents documents d'accompagnement, le guide et puis les procès-verbaux des deux dernières réunions avec Monique.

CHŒUR – Hum hum.

L'HOMME – Comme vous le constatez, l'ordre du jour est assez simple, un seul point : la révision de la nouvelle restructuration.

CHŒUR – Hum hum.

L'HOMME – La restructuration de la restructuration, on pourrait dire ! *(Silence.)* Donc, pour vous mettre au parfum des derniers développements, à cause des événements que tout le monde connaît, la direction a décidé de suspendre le processus de révision qui était en cours et puis d'étendre la restructuration sur l'ensemble de tous les processus de gestion, en amont et en aval, avec toutes les ramifications transversales que ça suppose avec les autres divisions de l'institution.

CHŒUR – Hum hum.

L'HOMME – Au lieu de penser la restructuration seulement de façon verticale, comme il était prévu au départ.

CHŒUR – Hum hum.

L'HOMME – En silos.

CHŒUR – Hum hum.

L'HOMME – On va la penser maintenant de façon verticale *et* horizontale.

CHŒUR – Hum hum.

L'HOMME – Le mandat est énorme, vous vous en doutez bien.

CHŒUR – Hum hum.

L'HOMME – C'est beaucoup plus large que ce qui était prévu au départ. Mais les délais sont les mêmes.

Silence.

L'HOMME – C'est comme ça. On n'a pas le choix. C'est énorme, je le sais.

Silence.

L'HOMME – C'est sûr que personne a le temps pour ça, nos bureaux sont déjà pleins, mais faut le faire pareil. Et puis vous savez ce que c'est : on réussit toujours à le faire pareil.

Silence.

L'HOMME – C'est pour ça que j'ai tenu à commencer en comité réduit comme ça. Et puis comme chacun de vos postes a des points de convergence avec d'autres secteurs névralgiques, c'est important d'avoir vos avis pour tout ce qui touche l'aspect transversal de la restructuration. On serait une sorte de super-sous-comité, si on veut.

Les répliques des différentes voix qui suivent sont à peine compréhensibles. Le texte entre parenthèses exprime la vraie réplique, mais le spectateur n'entend que la musique de la réplique dite par le personnage avec le timbre de voix indiqué.

VOIX ÉTOUFFÉE – (On veut pas !)

Rires de l'assemblée.

L'HOMME – On veut pas ! Ah ! Ah ! Est bonne, est bonne !

Non mais sans blague, c'est important parce qu'après coup, c'est vous autres qui aurez à la vendre à vos troupes.

VOIX LARMOYANTE – (Mais là, va-tu falloir toute recommencer ?)

L'HOMME – Non, non ! Pas du tout ! Tu fais bien de le mentionner, Mélanie. Tout le travail que vous avez fait auparavant sera pas inutile. On devrait pouvoir en récupérer une grande partie. Il s'agira juste de l'orienter un peu différemment. Et puis d'élargir un peu, hein. Élargir.

VOIX NASILLARDE – (Ça fait que là, les grands axes pis toute, ça marche pus ?)

L'HOMME – Non, non, non, pas du tout. On garde les six grands axes qu'on avait avant. Non, non. D'ailleurs, je sais pas si vous avez le plan en tête comme il faut. Les six grands axes, avec chacun leurs objectifs, et puis en dessous tous les grands critères d'évaluation. Tout ça s'ajoute aux deux autres grands volets, les supervolets on pourrait dire, qui correspondent aux trois grands thèmes de la première page du document.

VOIX NASILLARDE – (Comme la transparence ?)

L'HOMME – Non, non, ça c'est pas un volet, c'est un axe. Le n° 3 je pense... euh... je suis pas sûr là. C'est une bonne remarque, je vais vérifier.

VOIX AIGUË *(Beaucoup de mots très rapides. Elle a beaucoup à dire sur les incidences de la réforme dans l'organisation du travail.)* – ....

L'HOMME – Oui.

VOIX AIGUË – ....

L'HOMME – Oui.

VOIX AIGUË – ....

L'HOMME – Oui.

VOIX AIGUË – ....

L'HOMME – De... ?

VOIX AIGUË *(Très bref.)* – ......

L'HOMME – Ah ! OK.

VOIX AIGUË *(Elle se remet à protester.)* – ....

L'HOMME – Écoutez, je pense qu'on va s'en tenir à l'ordre du jour parce que si on rentre là-dedans, on en a pour la semaine.

VOIX NASILLARDE – (Non mais c'est vrai ce qu'a dit.)

L'HOMME – Oui, oui, effectivement, c'est pertinent mais... Le temps est réduit, vous comprenez, l'échéancier est très serré... *(À la voix aiguë.)* Écoute, j'en prends bonne note et puis on pourra faire un point spécial là-dessus à une autre réunion. OK ?

VOIX AIGUË – ... (OK.)

L'HOMME – Donc. Est-ce que vous avez des suggestions pour chacun de vos secteurs en rapport avec ce que vous avez lu dans le document ?

Silence.

L'HOMME – Des suggestions, des commentaires.

Silence plus long.

VOIX RAUQUE – (On peut peut-être faire un lien avec les régions.)

L'HOMME – Oui ! Tout à fait ! Il y a un lien à faire avec tout ce secteur-là, t'as tout à fait raison. D'ailleurs, ça me fait penser : tout ce qui touche nos interventions sur le plan sociétal, auprès des jeunes particulièrement, parrainages, bourses, parcs d'amusement, il faut absolument préserver ça au maximum. Mélanie, pourrais-tu faire le tour de tout ce qu'on fait à ce niveau-là sur les plans local, provincial et national ?

VOIX LARMOYANTE – (Ben là... j'ai de l'ouvrage par-dessus la tête !)

L'HOMME – Je le sais, je le sais, on en a tous beaucoup. Mais t'es pas toute seule, tu sais, tu peux te faire aider.

VOIX LARMOYANTE – (Ben non justement, Brigitte pis Josée sont parties.)

L'HOMME – Parties !... Je le savais pas. Est-ce qu'elles se sont fait... Euh... écoute, euh...

VOIX NASILLARDE – (Là, a peut pas faire ça toute seule. Ça a pas de bon sens cette réforme-là.)

L'HOMME – Écoutez, tout changement est difficile, allez pas croire que/ Mais il faut qu'on soit proactif dans le processus. Il s'agit pas de tout régler les problèmes aujourd'hui, c'est pas ça. Mais il me semblait intéressant de mettre les ressources en commun pour, pour, pour favoriser la synergie de nos interventions, c'est tout.

VOIX RAUQUE – (Quand est-ce qu'a revient, Monique ?)

L'HOMME – Monique ? Pas avant trois mois. Bon, écoutez, c'est pas de la rigolade. La direction veut un plan dans trois mois.

Moi, tout ce que je veux, c'est qu'on jette des pistes de réflexion sur le papier en étant pertinents, comme dit le document : pertinents, efficients, conséquents et congruents.

VOIX ÉTOUFFÉE – (Confluent !)

L'HOMME – Ah ! Ah ! Est bonne ! Confluent. Est bonne.

VOIX AIGUË *(Elle n'est pas contente.)* – ....

L'HOMME – Écoute, c'est ton point de vue, je le respecte.

VOIX NASILLARDE *(Elle non plus.)* – ....

VOIX LARMOYANTE *(Elle non plus.)* – ....

L'HOMME – Non, mais là, écoutez...

TOUTES LES VOIX *(Mécontentes.)* – ....

Il essaie de se faire entendre. Tout le monde parle. Soudain, il saisit son journal La Quête.

L'HOMME – Écoutez ! Écoutez ! Écoutez-moi ! *(Brandissant sa* Quête.*)* Connaissez-vous ça ce journal-là ? Quand on va acheter nos sandwiches le midi, il y a toujours une fille qui en vend sur le coin de la rue. C'est un journal pour les jeunes de la rue. C'est pour eux autres aussi qu'on travaille. C'est pour eux autres aussi la restructuration. C'est ben beau de fusionner pis de restructurer, mais on a une mission sociale aussi, faudrait pas l'oublier. Ça a été à la base même de la création de cette institution-là, ça a toujours été le grand désir de notre fondateur : être près des gens, des individus, de la base, pis aider les jeunes. Comme ceux-là. Des jeunes qui, qui, qui ont faim, qui ont rien dans le ventre, rien dans tête pis qui, si on est pas vigilants/ Jacques Brel ! Ça vous dit-tu quelque chose, ça ? La quête ! L'inaccessible étoile ! C'est ça notre objectif à nous autres pis... pis... Je vous le dis, là, accrochez-vous ben après vos tuques pis mettez ben de la broche parce que ça va brasser, je vous en passe un papier ! Faut s'accrocher pis tenir, pis ça va passer ! C'est tout ! On s'accroche pis on tient !

Silence.

VOIX ÉTOUFFÉE *(Il s'apprête à lancer une blague.)* – ...

L'HOMME – S'il te plaît, c'est pas le moment ! *(Silence.)* Bon. Est-ce qu'il y aurait d'autres points à ajouter ?

Silence.

L'HOMME – On va arrêter là pour aujourd'hui si vous êtes d'accord. Prochaine réunion, disons... La semaine prochaine même heure, est-ce que ça va pour tout le monde ?

VOIX AIGUË – ... ?

L'HOMME – Même local oui. Merci tout le monde. À la semaine prochaine.

Les gens sortent du bureau. M. L'Homme n'est pas satisfait de la réunion. Ni de sa performance. Le mandat s'annonce très lourd et il ne croit pas être la bonne personne pour l'exécuter. Il quitte le bureau.

Sur le chemin du retour, il voit le café et décide d'y entrer. Tout le monde le regarde. Après réflexion, il n'a pas si envie d'être dans la foule. Il sort.

Il court pour prendre son autobus. Qui est plein. Il reste debout et poursuit sa lecture de La Quête. *Sur un siège est assis un jeune handicapé intellectuel qui le salue. Salut qu'il rend timidement. Le jeune homme pointe le journal :*

MOMO – *La Quête* !

M. L'Homme acquiesce.

MOMO *(En soulevant son pouce.)* – Take care.

M. L'Homme descend de l'autobus et rentre chez lui.

À LA MAISON

L'HOMME *(Entrant.)* – C'est moi ! *(Silence.)* Claudette ! *(Silence.)*

Crevé, il dépose sa mallette qui a le poids du monde. Puis, lorsqu'elle est déposée :

L'HOMME – Claudette !

Il aperçoit un Post-it sur le dossier du divan.

L'HOMME – « Suis partie faire visiter une maison. Serai de retour vers 4 h 30. Claudette. »

Il regarde sa montre. Il est près de 6 h. Il voit un autre Post-it.

L'HOMME – « J'ai dû repartir. Ne m'attends pas pour souper. Il y a du poulet dans un Tupperware dans le frigo. Bec. Bec. »

Il en découvre encore un autre.

L'HOMME – « J'ai lu le message de maman. Je vais étudier chez Hugo. Je rentrerai demain matin. Nadine. »

Il va à la cuisine. Jette un coup d'œil à la maison vide. Autre Post-it.

L'HOMME – « Ta mère a appelé. Rappelle-la donc. Claudette. »

Il ouvre la porte du frigo et en sort un Tupperware sur lequel il y a aussi un Post-it.

L'HOMME – « Excuse, je l'ai mangé. Quentin. »

Il remet le plat au frigo. Il se demande ce qu'il fera. Finalement, il prend un Post-it et un crayon.

L'HOMME *(Écrivant.)* – « J'ai gagné deux billets de théâtre. Suis parti souper en ville. »

Pendant qu'il écrit, Quentin entre, en train lui aussi d'écrire un mot.

L'HOMME – Ah ! T'es là !

QUENTIN – Salut, p'pa.

L'HOMME – Tu m'as pas entendu ?

QUENTIN – Ben non, j'étais dans ma chambre avec les écouteurs. Qu'est-ce que tu fais ?

L'HOMME – Je suis en train d'écrire à Claudette pour i dire que je m'en vais au théâtre à soir.

QUENTIN – Au théâtre ?

L'HOMME – Oui. J'ai gagné deux billets au bureau pis je pensais y aller avec ta mère, mais là...

QUENTIN – T'es-tu obligé ?

L'HOMME – Non, mais à 20 $ le billet, je vais y aller certain, je gagne jamais rien.

QUENTIN – Ah, OK. J'étais en train d'i écrire un mot, moi aussi, pourrais-tu i donner ?

L'HOMME – Ben oui. *(Quentin lui tend son mot.)* Ah ben non, j'y pense, je vais être parti quand elle va arriver. *(Réflexion.)* Ben voyons ! Donne-moi-le, je vais le coller avec le mien.

QUENTIN – Tiens.

L'HOMME – Merci. Heille ! Tu viendrais pas avec moi ?

QUENTIN – Non, je te remercie, je m'en vas chez Lache.

L'HOMME – Chez Lache, tu pourrais y aller un autre soir, t'es tout le temps rendu là.

QUENTIN – C'est quoi ?

L'HOMME – C'est une gang de jeunes. Ils ont monté un projet, pis ils jouent leur pièce dans un grand loft sur la rue Christophe-Colomb. Il paraît que c'est très bon. C'est moderne. Ben c'est une pièce classique mais montée moderne. Les critiques sont très bonnes, il paraît.

QUENTIN – C'est parce que j'avais dit à Lache que je serais là à soir...

L'HOMME – Bon, OK.

QUENTIN – Heille, p'pa, tu me dois 40 $.

L'HOMME – Comment ça ?

QUENTIN – J'ai fini de peinturer la galerie après-midi, il me reste juste la bordure du petit toit pis les boîtes à oiseaux. *(M. L'Homme lui donne l'argent.)* Merci. J'ai regardé ça, il y aurait tout le treillis autour de la galerie qui serait à refaire aussi. Ça serait une semaine d'ouvrage, je pourrais te faire ça pour 100 $.

L'HOMME – OK.

QUENTIN – Parfait. Bon, ben salut. Bonne soirée quand même.

L'HOMME – Salut.

Quentin s'en va. M. L'Homme reste seul avec le Post-it. Il achève d'écrire le sien.

L'HOMME – « Serai de retour, j'imagine, vers 11 h. *(Il y pense puis corrige.)* 11 h 30. *(Il y repense puis…)* 11 h 15. À ce soir. Bec. Bec. Bec. »

Il colle les deux Post-it côte à côte puis il sort un billet de sa poche.

L'HOMME – *Les Trois Sœurs.* D'Anton Tchekhov.

Trois femmes entrent en scène, puis deux hommes. Le théâtre arrive avec eux.

AU THÉÂTRE

M. L'Homme cherche une place parmi les specta - teurs. Il en trouve une. C'est la première fois qu'il est dans une salle de spectacle de ce type. Il regarde partout. Il regarde les spectateurs un à un.

Une femme bien tenue, droite, jambes croisées, lit le programme. Un jeune couple parle. Un homme qui semble très fatigué se lève pour laisser passer quelqu'un. Une femme se lève à son tour ; tout en chantonnant, elle enlève son manteau et le place soigneusement sur sa chaise pour être confortable.

La lumière de la salle diminue. Les gens s'installent. Le jeune homme embrasse la jeune femme. On entend la musique du début du spectacle. Tous sont très attentifs à ce qui se passe en avant. Un à un les « spectateurs » se lèvent et disparaissent dans la coulisse du théâtre. Il ne reste que M. L'Homme en scène qu'on verra écouter le spectacle.

(Les répliques en italiques sont celles qu'on entend très clairement.)

« C'est la fête d'Irina aujourd'hui ! »

Exclamations de joie.

« Où sont les gâteaux ?

– Quelle journée merveilleuse.

– Mais nous sommes treize à table !

– C'est que vous devenez superstitieux.

– Je me dis souvent : mettons qu'on efface toute la vie, et qu'on recommence, mais consciemment cette fois. Mettons que la vie, celle qu'on aurait déjà vécue, ce soit un brouillon, comme on dit, et l'autre – le propre. Alors là, j'imagine, chacun de nous s'efforcerait de ne pas se répéter soi-même.

– Les masques viennent ce soir.

– Oui, les masques !

– Buvons du cognac et jouons du piano toute la nuit.

– Où est-il, mon passé, où a-t-il disparu ? J'ai été jeune, gai, intelligent, j'avais de beaux rêves et de belles pensées, mon présent et mon avenir étaient illuminés d'espoir...

– Il faudrait que je cherche un autre travail. Le mien manque de poésie.

– Quand je suis tout seul, ça va ; en société je dis n'importe quoi.

– Il est possible que cette vie que nous acceptons sans mot dire paraisse un jour étrange et stupide. Voire coupable.

– Moscou ! Moscou !

– Mon Dieu, quel incendie !

– C'est affreux.

– Le docteur n'a pas pu la sauver. Que vont devenir ses enfants ?

– Ils dormiront dans notre chambre !

– Je t'en supplie, partons. Partons pour Moscou !

– Et voilà, la vie est passée.

– La vie ne change pas, elle est immuable. Regardez les oiseaux migrateurs, les oies par exemple, elles volent, elles volent, sans savoir ni pourquoi, ni vers quoi. Et peu importe, du moment qu'elles volent.

– Mais tout de même, quel est le sens de tout cela ?

– Le sens... Regardez, il neige. Où est le sens ?

– Moscou ! Moscou ! Moscou ! »

Les « acteurs » reviennent à leur place. Les lumières s'allument. Les spectateurs applaudissent. Emporté par le spectacle, M. L'Homme est debout et crie bravo.

Soudain, la spectatrice qui est devant se retourne et dit : « C'est la fête d'Irina aujourd'hui ! » *Tous les spectateurs se lèvent pour préparer la fête d'Irina. Pendant qu'ils placent les chaises, on réentend les premières répliques de la séquence précédente jusqu'à :* « C'est que vous devenez superstitieux. » *M. L'Homme, rempli du spectacle qu'il vient de voir, écoute ces répliques. Les « acteurs » partis, il est chez lui.*

À LA MAISON

Claudette, en robe de chambre, à demi couchée sur le divan, exténuée, écoute son mari qui raconte, avec transport, le spectacle qu'il vient de voir.

L'HOMME – C'était extraordinaire ! C'était comme une grosse fête. On était ailleurs. Je pensais pas que le théâtre ça pouvait être bon comme ça !

CLAUDETTE – C'était quoi l'histoire ?

L'HOMME – Ah ! mon Dieu… C'est euh… C'est trois sœurs qui ont passé leur enfance à Moscou. Un moment donné, leur père les a emmenées dans une petite ville de province pis quand la pièce commence, ça fait un an qu'il est mort pis les trois sœurs veulent retourner à Moscou. Pis toute la pièce – ça se passe sur plusieurs années – elles veulent retourner à Moscou mais elles iront jamais.

CLAUDETTE – Ça a l'air plate.

L'HOMME – Ça a l'air plate… Ça a l'air plate, raconté de même mais… c'est parce que, il y a pas vraiment d'histoire mais c'était ben bon. Il y avait plein de réflexions sur la vie. Il y en a, je te le dis, j'aurais voulu les arrêter pour les faire répéter tellement c'était… c'était…

CLAUDETTE – Eh ben...

L'HOMME – C'est un drame, je pense que c'est un drame, mais en même temps, t'as tout le temps le sourire accroché dans la face. Je sais pas... C'était ben particulier. C'est comme si... Les personnages étaient pognés mais... à quelque part c'était... la liberté !

CLAUDETTE – Tu sais que j'ai pas vendu ma maison.

L'HOMME – Ah non ?

CLAUDETTE – Ben non. La vieille maudite. Je le savais que j'aurais pas dû accepter ce mandat-là. C'est trop cher pour les travaux qu'il y a à faire, personne va acheter ça.

L'HOMME – Mais, il me semble qu'ils avaient l'air intéressés.

CLAUDETTE – Oui, mais lui a eu une promotion à sa job, ça fait qu'ils ont décidé de rester à Sherbrooke. C'est ce qu'ils ont dit. Moi, je pense que c'est elle qui voulait pas déplacer les enfants. En tout cas... Je suis pas sûre que c'était une bonne idée de commencer une carrière à 42 ans.

L'HOMME – Ben non. T'as été la meilleure vendeuse du mois presque en commençant.

CLAUDETTE – C'était la chance du débutant. Pour moi, ils s'organisent pour que ça arrive pour que tu restes.

L'HOMME – Ça se peut pas tu sais ben.

Elle s'endormira tout en parlant, le volume de sa voix baissant de plus en plus.

CLAUDETTE – On sait jamais. Je suis trop vieille pour ça.

L'HOMME – Tu te stresses trop avec ça. C'est pas grave si tu vends pas trois maisons par mois.

CLAUDETTE – Je sais ben… mais tu sais… j'ai ma fierté… si je suis pour être pourrie, j'aime autant… j'aime autant rester à la maison… je pensais pas que… *(Elle ne fait plus que marmonner. Ce qu'elle dit est maintenant inaudible. Elle ne parle plus. Un temps.)*

L'HOMME – Dors-tu ?

CLAUDETTE – Hein ? Non. Je me repose les yeux.

Elle s'endort couchée sur lui. Il la regarde, puis regarde la pièce. Silence et grand vide ordinaire. Tout à coup, on entend un faible gémissement. Très doux. M. L'Homme essaie de savoir d'où cela vient. De l'extérieur. De la fenêtre ouverte. Une voisine sans doute, dans l'immeuble d'à côté, qui fait l'amour. M. L'Homme écoute. On entend de mieux en mieux la voisine. Claudette se réveille. M. L'Homme rit un peu, de malaise.

L'HOMME – Écoute.

CLAUDETTE – Quoi ?

L'HOMME – Écoute !

CLAUDETTE *(Se redressant, écoutant.)* – Je te dis qu'ils lâchent pas eux autres. Bon ben, bonne nuit. *(Elle lui tend la manette de contrôle à distance de la télé.)*

L'HOMME – Bonne nuit.

Elle se lève pour aller se coucher. Sa hanche la fait boiter.

L'HOMME – Fais donc chauffer ton sac magique.

Il la regarde partir. La voisine continue toujours. Il l'écoute. Puis il décide de fermer la fenêtre. Il se dirige vers sa chambre, mais s'arrête.

Il ne s'endort pas. Il regarde la pièce, regarde sa montre, va s'asseoir, ouvre la télé et regarde quelque secondes. Ferme la télé. Sa tête est ailleurs. Il se couche sur le sofa. Il pense au théâtre.

LE DÉJEUNER

M. L'Homme a dormi sur le sofa. Comme au début de la pièce, il s'habille. C'est toutefois plus difficile d'attacher son dernier bouton de chemise et de nouer sa cravate. Une fois l'habillage complété, tout le monde entre pour déjeuner. C'est l'habituelle course. Mais ce matin, il n'a pas le rythme.

(Les répliques s'enchaînent, se superposent, dans un brouhaha chorégraphié.)

CLAUDETTE – Bonjour tout le monde !

NADINE *(Arrivant de chez Hugo.)* – Maman, j'ai mon examen d'allemand ce matin.

CLAUDETTE – Ce matin, je me sens tellement bien.

NADINE – Vas-tu pouvoir venir me reconduire ?

CLAUDETTE – J'ai très bien dormi. Quand je me suis réveillée tout était clair. Il me semble que je sais exactement ce qu'il faut faire.

QUENTIN *(Prenant une Pop-Tart.)* – Fruits des champs ? !

CLAUDETTE – Je l'ai visualisée.

NADINE – Qui a acheté du pain blanc ?

CLAUDETTE – J'ai vu que je la vendais.

QUENTIN – J'haïs ça, fruits des champs.

NADINE – Qui a acheté du pain blanc ! ?

CLAUDETTE – C'est moi, j'ai pris ça au dépanneur, j'ai pas eu le temps.

NADINE – Je vais déjeuner à l'université. *(S'en allant dans sa chambre.)* Je vas être encore en retard, je suis sûre.

CLAUDETTE – Je me suis endormie, j'étais en train de signer la promesse d'achat.

QUENTIN *(À son cellulaire.)* – Allô Lache ?

CLAUDETTE – J'ai dormi comme une bûche ! *(À son mari.)* Je t'ai pas entendu te coucher, pis je t'ai pas entendu te lever. Tiens, ton café.

QUENTIN – Ouin.

CLAUDETTE – Coudonc, t'es ben fripé. As-tu passé la nuit debout ? Je l'haïs cette cravate-là.

QUENTIN – Ouin.

NADINE – *(Revenant.)* Maman ! Vas-tu pouvoir venir me reconduire, j'ai un examen à matin pis avant faut que j'aille chez le registraire.

QUENTIN – Ouin.

CLAUDETTE – Oui, oui, je vas y aller. Je finis mon café.

NADINE – Quentin, j'ai vu Claude hier, faut que t'ailles lui porter ton c.v. Salut p'pa.

CLAUDETTE – Ah ! C'est vrai ! Faut pas que j'oublie d'appeler madame Turcotte aujourd'hui. Je vas passer au bureau… *(Bla-bla-bla…)*

QUENTIN *(À Lache.)* – OK, je vas y aller.

NADINE – Maman, faut y aller, là. Je vais être en retard !

CLAUDETTE – Oui, oui, j'arrive.

QUENTIN – OK. Salut.

CLAUDETTE – Heille, tout le monde, la femme de ménage vient à matin, vous êtes-vous ramassés ?

LES DEUX ENFANTS – Oui.

QUENTIN – Heille, m'man, me donnerais-tu un lift jusque chez Lache ?

CLAUDETTE – Oui mais embarque tout de suite.

NADINE *(Sortant.)* – Bon ! Je vas être encore en retard !

QUENTIN – Salut p'pa. *(Il sort ainsi que Claudette. Qui revient embrasser son mari.)*

CLAUDETTE – Bonne journée chéri. *(Elle sort.)*

Silence. Il regarde sa maison. Il prend une gorgée de café, il n'est pas bon.

LA RUE

M. L'Homme marche dans la rue. Il est dans un tout autre rythme que les passants qui sont toujours aussi rapides. Il regarde ces gens qui courent partout. La vendeuse de La Quête *est toujours assise au même endroit.*

NICOLE – *La Quête. La Quête.* Journal *La Quête.*

Il rachète une autre Quête. *La vendeuse le salue et s'en va.*

AU BUREAU

CARRIER – Heille, salut !

L'HOMME – Salut.

CARRIER – As-tu lu mon courriel à propos des fonds de pension ?

L'HOMME – Je l'ai eu mais je l'ai pas lu, j'ai pas eu le temps.

CARRIER – OK, c'est parce qu'il y a une réunion d'information là-dessus après-midi, pis c'est moi qui pilote le dossier.

L'HOMME – OK.

CARRIER – C'est parce que là, avec les dernières négociations, on a une offre ben ben ben intéressante. Toi, t'es ici depuis euh... ça doit faire...

L'HOMME – Je suis rentré aussitôt que je suis sorti de l'école.

CARRIER – OK, mais t'as-tu été à temps plein depuis le début ?

L'HOMME – Non, j'ai été à temps partiel une bonne dizaine d'années.

CARRIER – OK. Je te dérange pas, là ?

L'HOMME – Non, non.

CARRIER – OK. Tu sais que les années d'ancienneté, avant, c'était pas rachetable, ça coûtait la peau des fesses. Mais là, avec la nouvelle offre, ça peut quasiment rien te coûter ! Ils vont convertir tes journées de maladie ! T'as pas dû prendre ben ben des journées de maladie, toi ?

L'HOMME – J'en ai jamais pris une.

CARRIER – Bon ben c'est parfait. Ils convertissent ça pis à 55 ans, tu vas pouvoir ramasser 70 % de ton salaire ! Je l'ai fait calculer pour moi là, pis avec les braquettes d'impôt pis tout, 70 % de mon salaire brut sais-tu quelle différence ça fait au net ?

L'HOMME – Je sais pas.

CARRIER – 6 000 ! 6 000 piastres de différence, pis je suis assis sur mon patio !

L'HOMME – C'est bon.

CARRIER – Bon, tu dis ! Moi là : objectif patio 55 ! La paix ! je lis même plus le journal ! Mon plan de retraite, présentement, c'est mon grand projet de vie ! Toi là, t'as quarante...

L'HOMME – Quarante-huit.

CARRIER – Quarante-huit !... Tu toffes la run encore jusqu'à 55, pis à 55 ans : merci-bonsoir, t'es t'assis pour de bon sur ton patio.

J'ai un beau-frère, moi, à 55 ans il a tout vendu, tout ! Pis il s'est aménagé un autobus Prévost Car. Tu sais les gros autobus Prévost Car.

L'HOMME – Oui, oui.

CARRIER – Il s'est aménagé un Prévost Car, laveuse, sécheuse, tout le kit...

(Pendant que le dynamique collègue continue de parler sans qu'on l'entende, Verchinine traverse la scène. M. L'Homme le suit des yeux.)

VERCHININE – Je me dis souvent : si l'on pouvait recommencer sa vie, une bonne fois, consciemment ? Si cette vie que nous avons n'était, pour ainsi dire, qu'un brouillon, et l'autre, une copie propre ? Alors j'imagine que chacun de nous tenterait de ne pas se répéter, ou tout au moins créerait une autre ambiance, un appartement comme le vôtre, par exemple, avec des fleurs et plein de lumière... Moi, j'ai une femme, deux petites filles, ma femme n'est pas en bonne santé, etc. Eh bien, si c'était à refaire, je ne me marierais pas. Oh ! Non ! *(Il est sorti.)*

CARRIER – ... il a rencontré une autre femme, une jeune pis... Yukon !

L'HOMME – Toi là, si t'avais le choix de recommencer, ferais-tu la même affaire ?

CARRIER – Ben certain, avec ce que je sais aujourd'hui ? ! Certain ! Me vois-tu avoir racheté tout ça en début de carrière, je me serais endetté pour rien/

L'HOMME – Non, non, je parle de recommencer à zéro.

CARRIER – Comment ça, recommencer à zé/ Si tu recommences à zéro ça marche plus là, tu perds toute, il y a plus de rachat possible.

L'HOMME – Non, je parle de ta vie ! Ça te déprime pas, toi, quand tu regardes ça de même ? Tu trouves pas que tout ça c'est de la marde ?

CARRIER – De quoi tu me/ Je te parle de ton plan de retraite, là, je te parle pas de la vie !

L'HOMME – Ben moi je t'en parle ! Tu trouves pas ça profondément déprimant quand tu parles comme ça ? T'as tout juste 30 ans pis tu rêves juste d'être vieux. T'es jeune pis t'es déjà mort !

CARRIER – Heille, wo wo wo, une minute là. Je venais juste t'inviter à une réunion. Si t'as des problèmes avec ta retraite, t'as pas d'affaires à me blaster avec ça. Pas de projection, s'il te plaît ! Ça se soigne l'andropause, tu sais ! On a même droit à du support psychologique le mercredi matin, c'est affiché au babillard, profites-en donc. C'est une autre des mardes, ça, qu'on est allé vous chercher, nous autres, au comité de négociation !

Il part. M. L'Homme se sent oppressé.

L'HOMME – Voyons... qu'est-ce qui m'arrive ?

Il essaie de se reprendre, de bien respirer. Il sort de son bureau.

AU PARC

M. L'Homme s'est rendu au parc afin de se remettre de ses émotions. Une femme promène son bébé dans un landau. Une autre fait du tai-chi. Un jogger passe. Un ouvrier ramasse les déchets par terre en sifflotant.

M. L'Homme s'assoit sur un banc. Il est troublé de ce qui lui est arrivé. Il est fermé sur lui-même, ne voit pas les gens, ne voit pas les arbres, ne sent pas le soleil. On entend un vol d'oies. Tous lèvent les yeux sauf lui. Le jogger repasse, s'arrête, prend son pouls, fait quelques étirements, etc.

Une jeune femme, Irina, vient s'asseoir à côté de lui.

IRINA – Ce matin, une fois debout et lavée, il m'a semblé brusquement que tout devenait clair, que je savais comment il faut vivre. Tout homme doit travailler, peiner à la sueur de son front, là est le sens et le but unique de sa vie, son bonheur et sa joie. Heureux l'ouvrier qui se lève avec le jour et va casser des cailloux sur la route, ou le berger, ou l'instituteur qui fait la classe aux enfants, ou le mécanicien sur sa locomotive.

Elle se lève et s'en va. M. L'Homme se lève pour la suivre.

L'HOMME – Mademoiselle !

À LA LIBRAIRIE

Trois femmes cherchent des livres dans les rayons. Le libraire entre avec un exemplaire usagé des Trois Sœurs.

LIBRAIRE – Monsieur ! C'est tout ce que j'ai trouvé. Il y a deux pièces : *Oncle Vania* pis *Les Trois Sœurs.* Quand vous aurez fini de lire *Les Trois Sœurs*, ben, vous pourrez lire l'autre. Tenez.

L'HOMME – Merci. C'est combien ?

LIBRAIRE – Ouf... celui-là est pas mal magané, disons... trois piastres. Une piastre par sœur ! Vous êtes chanceux, c'est le dernier qui me reste. Il y a une batche d'étudiants qui est passée ; c'est joué présentement, ils sont tous obligés de l'étudier.

L'HOMME – Oui, je suis allé la voir hier.

LIBRAIRE – Ah oui ?

L'HOMME *(Lui tendant l'argent.)* – Tenez.

LIBRAIRE – Merci. Moi aussi.

L'HOMME – Vous l'avez vue ?

LIBRAIRE – Oui.

L'HOMME – Avez-vous aimé ça ?

LIBRAIRE – Bof... Moscou, Moscou, Moscou... On en revient, non ?

L'HOMME – Ah ! Vous...

LIBRAIRE – Je vais vous dire, moi, Tchekhov... Tous les Tchekhov qui sont passés ici, je les ai vus pis ça me fait toujours la même chose. La mise en scène a beau être excellente, un moment donné... Moscou, Moscou... Allez-y à Moscou, cibole ! Qu'est-ce qui vous retient ! Arrêtez de vous lamenter, prenez vos cliques pis vos claques pis partez !

Les trois femmes ferment leurs livres, les déposent et sortent, légèrement irritées.

LIBRAIRE – Est-ce que vous avez trouvé ce que vous cherchiez ?

FEMMES – Oui, merci.

LIBRAIRE – Vous reviendrez !

FEMMES – C'est ça !

LIBRAIRE *(De retour à M. L'Homme.)* – Qu'est-ce que je disais ?

L'HOMME – Moscou, Moscou...

LIBRAIRE – Ah oui. C'est comme *La cerisaie*, c'est ben bon mais après trois quarts d'heure : vendez-la la maudite cerisaie, qu'on n'en parle plus ! « Ah ! La cerisaie ! Notre cerisaie ! Quelle est belle la cerisaie ! Notre enfance ! Notre passé ! Moscou ! Moscou ! Je suis une mouette ! » Non ?

L'HOMME – Ah ben moi, j'ai... j'ai aimé ça. Je suis pas un connaisseur comme vous, mais j'ai aimé ça. Les acteurs étaient bons. Je sais pas... pis il y avait des réflexions que je trouvais très profondes. *(Montrant le livre.)* C'est pour ça que...

LIBRAIRE – Les maximes de Cioran aussi sont profondes mais on fait pas de théâtre avec ça. Je nie pas son génie, à Tchekhov, c'est pas ça, mais... Comme auteur de nouvelles, formidable. C'est ça que vous devriez lire d'ailleurs, mais comme auteur de théâtre, c'est un échec. Sublime peut-être mais échec quand même. Et puis c'est bourgeois.

L'HOMME – Ah oui ?

LIBRAIRE – Oh oui ! Très bourgeois. Ils ont tout ce qu'il faut mais ils sont déçus, ils savent pas trop ce qu'ils ont, on devrait faire ci, on devrait faire ça mais on le fait pas, on change rien pis on est ému, pis le public est ému. Très très très bourgeois.

L'HOMME – Ah bon. C'est ça le théâtre bourgeois ?

LIBRAIRE – Oui.

L'HOMME – Ben merci. Je vais le lire quand même, pis j'achèterai peut-être les nouvelles une autre fois.

LIBRAIRE – C'est comme vous voulez. Je suis là pour vous servir. Au revoir.

L'HOMME – Au revoir.

L'Homme s'assoit sur un banc et ouvre son livre.

L'HÔPITAL

Un infirmier (l'acteur qui jouait le jogger au parc) passe en courant. Une infirmière (l'actrice qui faisait du tai-chi) range des dossiers. M. L'Homme est sur un siège, dans un corridor, toujours en train de lire. Un préposé (l'acteur qui ramassait les déchets) balaie le sol. Les gestes sont à peu près les mêmes qu'au parc. Une infirmière (l'actrice qui jouait Irina) vient s'asseoir près de lui pour lui dire qu'il peut aller voir Sylvain.

Une infirmière (l'actrice qui poussait le landau) entre avec Sylvain en chaise roulante.

SYLVAIN – Tiens, tiens, tiens !

L'HOMME – Ah ben, ah ben, ah ben ! Qu'est-ce que tu fais ici ?

SYLVAIN *(Essayant de se lever.)* – Je voulais prendre des vacances (INFIRMIÈRE – Levez-vous pas. Restez assis. *Il se rassoit.*) mais je voulais pas que ça coûte trop cher, je me suis dis : Tiens ! une petite semaine à l'hôpital ! Je paye déjà pour ça, d'abord !

L'HOMME – Ça te réussit bien, t'as l'air en pleine forme.

SYLVAIN – Si c'était pas de la nourriture, je pense que je prolongerais d'une semaine !

L'HOMME – Fais pas ça, on s'ennuie nous autres.

SYLVAIN – Ah ouin ! vous vous ennuyez ?

L'HOMME – Ben certain. Il y a plus personne pour nous dire de niaiseries !

SYLVAIN – Je vas rester une semaine de plus, d'abord ! *(Rires.)* T'es le seul du bureau qui est venu.

L'HOMME – Ah oui !

SYLVAIN – Oui.

L'HOMME – Ils vont venir, c'est juste/

SYLVAIN – Ben non ! C'est correct, tout le monde a sa vie.

L'HOMME – Ah ben c'est vrai ! On t'a écrit une carte. Tiens. Toute la gang du département.

SYLVAIN – Merci. *(Il lit.)*

L'HOMME – Lis pas ce qu'il y a d'écrit en bas à droite !

SYLVAIN – OK. Mais là, es-tu sur ton heure de dîner, toi là ?

L'HOMME – Non, non, j'ai pris une journée de maladie. J'en prends jamais ! Faut ben que ça serve un peu !

SYLVAIN – Prends une semaine pis viens me rejoindre ! Y a des belles petites gardes !

L'HOMME – Tente-moi pas ! *(Rires.)* Mais là, qu'est-ce qui se passe avec toi ?

SYLVAIN – Ouaf... je le sais pas trop. *(Temps.)* Ça fait un bout que je suis fatigué. Je fais rien pis je suis brûlé. Faut que je me botte le cul tout le temps. Ma blonde m'a dit : « Tu fais une mono. Va donc chez le docteur, je suis sûre que tu fais une mono ! » Je l'ai écoutée pis regarde, je me ramasse ici.

L'HOMME – On devrait pas les écouter !

SYLVAIN – Je le sais ben. Je le sais pas ce qui m'a pris ! *(Rires.)*

L'HOMME – Pis là, ils ont-tu trouvé quelque chose ?

SYLVAIN – Non. Une vieille séquelle. J'ai déjà fait une couple de pneumonies. Ils ont trouvé une petite maudite tache sur les poumons, mais rien de grave, il paraît. De toute façon, ils ont du liquid paper en masse ici !

L'HOMME – Ils l'ont au prix du gros ! *(Rires.)* C'est peut-être juste de l'anémie que tu fais.

SYLVAIN – Peut-être. Ils ont trouvé quelque chose de pas correct avec mes globules blancs.

L'HOMME – Moi, ça me surprendrait pas. Tu te démènes pas mal depuis un bout : la job, deux jeunes enfants, le chalet – je sais pas comment t'as mis d'heures là-dessus.

SYLVAIN – S'ils pouvaient me donner un mois de convalescence, veux-tu savoir que je saurais où le passer !

L'HOMME – Ouais mais pas trop longtemps, ça te fait un moyen trou au bureau.

SYLVAIN – Ah ouais ?

L'HOMME – Ouais.

Temps.

SYLVAIN – Ça devrait pas être trop long, tu sais ben. Je suis pas assez chanceux pour ça. La semaine prochaine, je vas être là pour vous écœurer encore un peu.

L'infirmière qui était venue le chercher vient le reprendre.

INFIRMIÈRE – C'est l'heure de votre scanner.

SYLVAIN – Regarde si je suis bien traité ! Elles ont toujours le sourire ! Pis ils veulent même pas que je marche, as-tu déjà vu ça ! C'est la première fois que je me fais conduire par une femme. Salut !

L'HOMME – Salut !

SYLVAIN – Tu reviendras, je suis pas sorteux !

M. L'Homme regarde partir Sylvain. Il retourne s'asseoir. Il a un mauvais pressentiment. Trois infirmières passent en riant. Un infirmier prend une chaise près de M. L'Homme pour la placer ailleurs.

Infirmier – Excusez-moi.

Il sort. Un jeune homme, cigarette au bec, vient à son tour près de M. L'Homme.

Jeune homme – Est-ce qu'il y a quelqu'un ici ?

L'Homme – Non.

Jeune homme – Merci.

Il prend la chaise et va s'asseoir un peu plus loin. M. L'Homme retourne à sa lecture.

La serveuse entre, au rythme de la musique qui emplit agréablement tout le lieu ; les clients, les tables, les chaises la suivent. M. L'Homme est plongé dans sa lecture. Anita va de table en table pour prendre les commandes ou les servir.

D'un côté, la metteure en scène des Trois Sœurs *est en entrevue avec un journaliste d'un journal universitaire. De l'autre côté, deux amis parlent d'un projet.*

Anita – Un expresso.

L'Homme – Merci.

Il suit la serveuse du regard.

METTEURE EN SCÈNE – Il y a souvent des synchro-nicités qui arrivent quand on travaille sur une mise en scène. Par exemple, avec *Les Trois Sœurs*, y a plein de choses qui sont arrivées qui avaient un rapport direct avec la pièce.

ANITA – Ça va bien ici ?

METTEURE EN SCÈNE – Oui, merci.

ANITA – Tu veux toujours rien ?

JOURNALISTE – Non, merci.

METTEURE EN SCÈNE – Ça pouvait être une émission de radio, une conversation, une musique. Comme si ça répondait à des questions que j'avais.

CATHYA *(Elle a un fort accent.)* – J'avais pensé à 500 $.

JEUNE HOMME – Cinq cents !

CATHYA – Oui mais avec ça, t'aurais une page complète dans le programme. Ça te ferait une belle publicité.

JEUNE HOMME – Il y a combien de monde qui va venir à ton exposition ? Cent ? Deux cents ?

CATHYA – Il y a plein de monde qui va venir.

JEUNE HOMME – Toi, Anita, commanditerais-tu ça une exposition sur la neige ? Elle me demande 500 $.

CATHYA – C'est une installation, pas une exposition.

ANITA – Plein comme t'es, tu peux ben y aller à mille. *(Rire des filles.)*

JEUNE HOMME – Eh ! Eh ! Charrie pas !

ANITA – Fais donc ta part pour les arts, branleux, c'est super beau ce qu'elle fait.

JEUNE HOMME – Bon, OK, cinq cents.

M. L'Homme brasse son café. Le temps passe.

*

Deux gars à une table regardent deux filles à une autre et semblent échafauder quelque projet. Anita vient leur porter leurs consommations.

GARS 1 – Anita, on va se charger de la consom - mation des deux jeunes filles, là-bas.

Anita rigole puis s'en va vers les filles, mais le gars s'adresse à elle de nouveau.

GARS 1 – Anita ! Attends un peu !

Il enlève son alliance. Ils rient. M. L'Homme les regarde et suit avec amusement le manège. En allant vers les filles, Anita apporte un autre café à M. L'Homme.

ANITA – Voilà.

L'HOMME – Merci.

Elle se rend aux filles.

FILLE 1 – Merci Anita, on va te payer tout de suite.

ANITA – Non, non, c'est payé par les deux messieurs là-bas.

Elles les regardent. Ils les saluent. Les filles rient. Comme Anita s'en retourne, l'une des filles la rappelle.

FILLE 1 – Anita ! Les connais-tu ?

ANITA – Un peu.

FILLE 2 – Pis ?

ANITA – Pas fort !

Elles rient. Les filles lèvent leur verre aux garçons qui, fiers, font de même. M. L'Homme sourit de tout cela. Anita lui lance un clin d'œil complice. Il retourne à sa lecture.

M. L'Homme brasse son café. Le temps passe.

*

D'un côté, quatre amis sont en grande discussion. De l'autre, une table vide avec des tasses vides. M. L'Homme est toujours absorbé par son livre.

1er AMI – Au nord de Stoneham, c'est tous des épais.

2e AMIE – Voyons, toi, t'es ben fasciste !

1er AMI – C'est vrai !

3e AMIE – Maudit qu'avoir une maîtrise, ça veut rien dire.

1er AMI – Tout ce que ça fait, c'est que le gouvernement engouffre de l'argent pour leur trouver des projets pour rester avec les ours.

LES FILLES – Ah ! Ah !

4e AMI – C'est vrai, les régions c'est bon pour les richesses naturelles pis c'est toute.

3e AMIE – T'es même pas de son avis, dis donc pas n'importe quoi, veux-tu.

2e AMIE – D'où tu viens, toi ?

1er AMI – Saint-Léon-de-Standon.

LES FILLES – Bon !

1er AMI – Je suis pas resté non plus, je suis pas fou.

2e AMIE – Y a pas juste Montréal au Québec.

1er AMI – Veux-tu bien me dire qu'est-ce qu'il y a de le fun ici, à part Montréal ?

3e AMIE – Il en est de Montréal comme de l'homme, il n'est pas bon qu'il soit seul.

1er AMI – Bon, bon, bon.

2e AMIE – Moi, en tout cas, je retourne chez nous quand je finis d'étudier.

4e AMI – Toi, Anita, d'où tu viens ?

ANITA – Baie-Comeau.

LES FILLES – Bon ! Tu vois !

1er AMI – Est pas restée non plus, c'est une fille intelligente. Tu y retournerais-tu ?

ANITA – Avec un chum steady, pour fonder ma famille, je dis pas.

1er AMI – Bon, je peux faire une exception pour Baie-Comeau.

ANITA – Charmeur !

4e AMI – Moi aussi. Je pourrais embarquer avec vous autres.

ANITA – Des promesses !

Anita va porter une autre tasse à M. L'Homme. La conversation se poursuit à la table bien qu'on l'entende de moins en moins.

3e AMIE – Ouin, je te dis qu'il faut pas être susceptible !

2e AMIE – Maudit, les gars, que vous êtes épais. *(Elle sort.)*

ANITA – Un décaféiné.

L'HOMME – Merci.

ANITA – Ça vous dérange pas trop ? Je peux leur dire de baisser le ton, si vous voulez.

L'HOMME – Non, non, je vous remercie. Vous êtes bien gentille.

Anita va desservir la table vide. M. L'Homme la regarde faire. Il est séduit par cette femme, par la joie qu'elle dégage. Anita retourne à la cuisine et M. L'Homme à sa lecture. La conversation entre les amis est devenue plus sérieuse.

4e AMI – Ben voyons, ça existe pas, ça, l'environnement !

3e AMIE – Comment ça, ça existe pas !

4e AMI – Ça existe pas. C'est tout le lobby des verts pour avoir des subventions pis faire des souscriptions.

3e AMIE – Heille, je vas-tu dormir chez nous, moi, à soir !

4e AMI – Fais donc ce que tu veux ! Penses-tu que les multinationales vont scraper la planète ? Sont pas fous ! C'est leur marché, ils se tireront pas dans le pied.

3e AMIE – Y a plus une source d'eau pure nulle part, le smog, les chambardements climatiques, la désertification, les épidémies : allô le soin du marché !

4e AMI – Ben voyons, la technologie va régler ça. Je te l'ai dit.

1er AMI – C'est des cycles, ça. Il y avait des palmiers en Antarctique, avant. Faut être zen un peu avec ça.

3e AMIE – Ouais mais ça nous dit pas si il faut faire des enfants ou pas.

4e AMI – T'es pas obligée, tu sais, y a trop de monde sur la planète de toute façon.

M. L'Homme est de plus en plus absorbé dans sa lecture, on voit les trois amis de moins en moins, les dernières répliques vont en decrescendo. Il n'y a plus que M. L'Homme en train de lire. Le temps passe.

*

M. L'Homme lève les yeux de son livre. Il ne reste qu'un des deux couples à table (amis nº 3 et 4), silencieux. Visiblement, la discussion a mal tourné. La vendeuse de La Quête *entre.*

NICOLE – Salut.

ANITA – Allô.

NICOLE – Je peux-tu euh...

ANITA – Oui, oui, je te l'apporte tout de suite.

NICOLE – Je veux pas te déranger.

ANITA – Non, non, pas de problèmes.

Nicole va s'asseoir à une table. M. L'Homme lève les yeux et la regarde. Elle le salue. Anita revient avec un café.

ANITA – Tiens.

NICOLE – Merci, t'es fine.

ANITA – As-tu vendu aujourd'hui ?

NICOLE – Non, pas trop. *(Elle boit une gorgée.)* Hum ! I est bon, i est fort !

Momo entre à son tour.

ANITA – Tiens, mon chum !

MOMO – Mon amour ! *(Il la serre dans ses bras.)* Tu veux-tu me marier ?

ANITA – Tu sais ben que c'est avec toi que je vas me marier !

MOMO – Mon amour !

ANITA – Veux-tu un petit jus ?

MOMO – Un gros. J'en veux un gros.

NICOLE – Va m'attendre à mon spot.

MOMO – Hein ?

NICOLE – Va m'attendre à mon spot. D'in coup qui passe quèqu'un.

MOMO – Relaxe buddy ! J'ai soif.

NICOLE – Bois pis vas-y.

MOMO – Take care !

ANITA – Tiens.

MOMO – C'est à quoi ?

ANITA – Aux pommes.

MOMO – Une bonne pomme ! *(Il boit.)* Ah ! C'est bon. Moi, j'aime pas ça le pamplemousse. Ça pique. *(Indiquant M. L'Homme.)* C'est qui, lui ?

ANITA – C'est un client.

MOMO – Je le connais pas.

ANITA – C'est un nouveau.

MOMO – Un nouveau client ! *(Sortant.)* La sonnette est pus là ?

ANITA – Est partie.

MOMO – Est partie dans le Sud ! Take care !

Anita rit. Il sort. Anita s'installe près de la fenêtre, en attente. Nicole boit son café chaud. M. L'Homme lit. Temps. Soudain, l'ami n° 4 se lève et laisse de l'argent sur la table. Il sort. La jeune femme prend son visage dans ses mains. M. L'Homme et Anita la regardent. M. L'Homme retourne à son livre qu'il termine.

L'HOMME – « Oh ! cette musique ! Ils nous quittent, l'un d'eux est parti pour toujours, pour toujours nous restons seules pour recommencer notre vie. »

3e AMIE *(Essayant de se ressaisir.)* – Il faut vivre... Il faut vivre.

NICOLE – Le printemps achève, betôt l'été, je vas crever de chaleur sur le coin de la rue pis je vas travailler, je vas travailler.

ANITA – Le temps viendra, j'espère, où on saura pourquoi cette vie, pourquoi ces souffrances... Si on savait.

NICOLE – Si on savait.

L'HOMME – « Tout m'est égal. »

3e AMIE – Si on savait.

L'HOMME – « Tout m'est égal. »

ANITA *(Sortant.)* – Si on savait.

M. L'Homme ferme le livre.

LE SOUPER

C'est la fin du souper. Toute la famille est à table. On en est au dessert et au café. Claudette se lève.

CLAUDETTE – Bon ! À soir on fête !

L'HOMME – Qu'est-ce qu'on fête ?

CLAUDETTE – J'ai acheté une bonne bouteille de porto.

NADINE – Hein ! En quel honneur !

CLAUDETTE – On fête la vente de la vieille maudite maison.

Exclamations sauf Quentin.

NADINE ET L'HOMME – Tu l'as vendue ? !

CLAUDETTE – Ben non. Je fais comme. J'arrête pas de visualiser que je la vends pis ça marche jamais. J'ai décidé de faire comme si elle était vendue, ça va peut-être marcher.

L'HOMME – Ben ! Ça se pourrait.

NADINE – Tu vas la vendre, maman.

CLAUDETTE – Ah ! Je sais pas. Ça me décourage, des fois.

NADINE – Décourage-toi pas.

L'HOMME – Tu vas la vendre, Claudette...

QUENTIN – Ben oui, un moment donné.

CLAUDETTE – Santé.

TOUS – Oui, oui, santé. Santé. Santé. Tchin.

CLAUDETTE – Les yeux, les yeux. Quentin, les yeux. Hum, il est bon le petit porto.

Je veux changer de braquette de maison. Je suis tannée des petites maisons à 150 000 $. Si je pouvais tomber dans le marché des grosses... T'en vends une dizaine dans ton année, t'es grasse dur pis tu profites de la vie. Savez-vous ce serait quoi mon rêve ? OK, on rêve ! Savez-vous ce serait quoi mon rêve ?

L'HOMME ET NADINE – Non.

CLAUDETTE – M'acheter un bloc ! Un beau petit bloc ! Y en a des super beaux dans Limoilou. Pas trop cher. J'achèterais un beau six logements. On se garderait un logement pour nous autres. Un logement pour Nadine, un pour Quentin. Pis on loue les autres.

NADINE – Ben oui !

CLAUDETTE – Chacun aurait son espace. On se pilerait pas sur les pieds. Vous pourriez faire ce que vous voudriez, décorer comme vous le voulez.

NADINE – Ce serait super.

L'HOMME – Pis qu'est-ce qu'on ferait avec la maison ?

CLAUDETTE – On la vendrait.

L'HOMME – Ben... Il y a plus rien à faire dessus. Je l'ai toute rénovée à notre goût. Pis elle est finie de payer.

CLAUDETTE – Justement. Une maison où il y a plus de projets, c'est une maison morte : c'est un proverbe chinois.

Il est vraiment bon ce petit porto-là.

Il y a un petit couple, l'autre jour, j'étais sur le terrain en avant, ils m'ont demandé si la maison était à vendre. Je me suis dit pourquoi pas ? La maison est à côté des écoles. Nous autres, ça nous sert à rien, Nadine est rendue à l'université, pis Quentin lui, il y va plus, ça dérange plus. On pourrait te vendre ça comme ça !

L'HOMME – On s'en reparlera.

CLAUDETTE – C'est sûr, on rêve, là. Mais il faudrait se mettre à y penser, les enfants vont être encore ici pour un bout : Quentin, là, avant qu'il s'oriente un peu, pis Nadi/ Ah ! Nadine ! As-tu dit à ton père ?

NADINE – J'ai passé mon test d'allemand ! Je vais m'inscrire à la session d'été pour une quatrième langue !

L'HOMME – Félicitations !

NADINE – Merci.

CLAUDETTE – Elle est-tu assez extraordinaire ! Moi, tu m'épates assez !

QUENTIN – À quoi ça va te servir, l'allemand, à Québec ?

CLAUDETTE – Y a pas juste Québec, Quentin, dans la vie ! Faut sortir du village. Des langues, on n'en sait jamais assez.

NADINE – Je voudrais prendre quatre cours pour faire mon bac en deux ans et demi.

CLAUDETTE – Es-tu assez bonne ? Eh ! que tu m'impressionnes !

L'HOMME – T'aurais pas envie de te reposer cet été ? Profiter de la vie un peu ?

NADINE – J'en profite. J'aime ça étudier. Je veux me rendre jusqu'au doctorat le plus vite possible pour pas vous/

CLAUDETTE – Nadine, ton père pis moi, on te l'a déjà dit.

L'HOMME – Oui, tant que tu vas vouloir étudier, on va être là.

NADINE – C'est parce qu'il m'en reste encore pour cinq, six ans, facile.

L'HOMME – Tant que t'en auras besoin, ma belle.

NADINE – Merci.

Quentin ! J'ai vu Claude l'autre jour, il m'a dit que t'étais pas allé i porter ton c.v.

QUENTIN – J'ai pas eu le temps. J'avais d'autres affaires à faire.

NADINE – Ben oui mais si t'attends trop, il y en aura pus de job. Je te l'ai dit, t'as juste à dire que t'es mon frère pis il va te prendre.

QUENTIN – Oui, oui ! Je vas y aller le porter, ton ostie de c.v.

CLAUDETTE – On sacre pas à table !

NADINE – C'est pas mon c.v., c'est le tien.

QUENTIN – J'ai d'autres projets.

NADINE – Ils marchent jamais tes projets.

CLAUDETTE – C'est vrai, Quentin, depuis le temps que tu dis que tu te cherches quelque chose. Ça peut pas toujours être nous autres qui te payent avec tes petits travaux.

L'HOMME – Ben oui mais il va y aller, là ! Il a dit qu'il allait y aller, il va y aller ! Hein Quentin, tu vas y aller ?

QUENTIN – Ben oui.

L'HOMME – Bon. Pis c'est moi qui lui avais demandé de travailler sur le treillis. C'était très bien fait. Merci Quentin.

CLAUDETTE – En tout cas... Qu'est-ce que tu veux ? Ça a toujours été comme ça avec Quentin. Il faut toujours le pousser. Il a pas de petit moteur, on dirait. Ça marche pas tout seul.

NADINE – Moi, c'est juste parce que tu dis que tu cherches quelque chose. Si tu veux pas y aller/

QUENTIN – M'as y aller !

L'HOMME – On en a parlé, c'est correct, c'est réglé. On n'en parle plus.

CLAUDETTE – Ah ! Nadine ! Je t'ai pas dit ça ! Le fils de Bernard Couture est en langues, lui aussi. Pis sais-tu quoi ? Il est traducteur simultané à la Chambre des Communes, à Ottawa.

NADINE – Ah oui ?

CLAUDETTE – Oui. Heille, ça, ça m'impressionne ! Je sais pas comment ils font.

NADINE – C'est une question d'habitude.

Elle commence à ramasser les assiettes du repas.

CLAUDETTE – Ils écoutent l'autre, pis pendant qu'ils parlent, ils continuent à écouter pis ils traduisent au fur et à mesure.

NADINE – C'est une question d'habitude.

CLAUDETTE – Ça, ça veut dire qu'il faut qu'ils parlent quasiment sans penser, je sais pas comment ils font !

M. L'Homme regarde Quentin qui, lui, regarde vers le sol.

NADINE – C'est l'habitude. Finis-tu ton dessert ?

CLAUDETTE – Non.

Nadine mange le dessert.

CLAUDETTE – C'est comme les traducteurs de chefs d'État. Ça prend-tu du monde brillant, tu penses !

NADINE – J'imagine.

CLAUDETTE – T'es vois là, juste en arrière... Tu sais que t'as intérêt à pas te tromper ! Ils doivent-tu en savoir des affaires, eux autres, qu'on sait pas ! Je te verrais là-dedans. Tu serais bonne. *(Rêvant.)* Ouin, ouin, ouin...

M. L'Homme les regarde tous et « voit » soudain sa famille : son fils, voûté, les yeux au sol ; sa fille, ingurgitant tout le dessert ; sa femme, cuvant son porto. Le personnage d'André traverse la scène.

ANDRÉ – Où est-il mon passé, où a-t-il disparu ? J'ai été jeune, gai, intelligent, j'avais de beaux rêves et de belles pensées, mon présent et mon avenir étaient illuminés d'espoir... Pourquoi, à peine nous commençons à vivre, devenons-nous ternes, ennuyeux, insignifiants, paresseux, inutiles, malheureux ? Et l'irrésistible influence de la vulgarité pourrit les enfants, éteint l'étincelle divine qui vivait en eux, ils deviennent des cadavres vivants, aussi semblables les uns aux autres, aussi pitoyables que leurs parents. *(Il sort. Changement brusque.)*

CLAUDETTE – Hein ! Qu'est-ce que t'en penses ?

L'HOMME *(Sortant de sa rêverie.)* – Quoi ! Euh... oui, oui, Moscou, c'est une bonne idée.

Silence étonné.

CLAUDETTE – Qu'est-ce que tu dis ?

L'HOMME – Ah, euh... J'ai juste dit...

CLAUDETTE – Moscou ?

QUENTIN – Rapport ?

L'HOMME – Ah ! Je pensais à la pièce de l'autre jour, j'étais dans la lune.

CLAUDETTE – Ah.

L'HOMME – D'ailleurs, je pensais y retourner ce soir.

CLAUDETTE – Où ça ?

L'HOMME – À la pièce.

CLAUDETTE – Mais tu y es allé la semaine passée.

L'HOMME – Oui mais... J'ai ben aimé ça pis j'aimerais ça y retourner.

CLAUDETTE – Y retourner une deuxième fois !

L'HOMME – Oui, y retourner une deuxième fois. Qu'est-ce qu'il y a, j'ai pas le droit ?

CLAUDETTE – Non, non, t'as le droit. Mais j'aurais peut-être aimé ça que tu m'en parles.

L'HOMME – Veux-tu venir ? Mes billets sont pas achetés.

CLAUDETTE – Non, à soir je peux pas, j'ai une maison à/

L'HOMME – Ben c'est ça. Toi, tu seras pas là, Nadine va être chez Hugo, pis Quentin ?... Quentin va être chez Lache. Ça fait que je peux ben aller au théâtre à la place de passer ma soirée devant la t.v.

CLAUDETTE – Ben voyons, t'es ben à pic à soir !

L'HOMME – Je suis pas à pic ! Je fais juste dire que je veux aller au théâtre pis ça fait un drame.

Les enfants quittent discrètement la pièce.

CLAUDETTE – Ben voyons ! Ça fait pas un drame, t'as jamais fait ça retourner voir un spectacle deux fois. C'est normal que ça m'étonne un peu.

L'HOMME – Bon, OK, si tu veux pas que j'y aille, j'irai pas ! Je vas ramasser la vaisselle pis allez faire vos affaires !

CLAUDETTE – Il est pas à pic ! Ben non, c'est pas ça, vas-y si tu veux ! T'es pas en prison ! Je dis juste que je trouve ça drôle que tu m'en aies pas parlé.

L'HOMME – Ben oui, j'aurais peut-être dû mais j'étais sûr de toute façon que/

CLAUDETTE – Ça va, c'est correct, j'ai compris, vas-y au théâtre ! *(Elle s'apprête à sortir, puis se retourne.)* Es-tu sûr qu'il y a juste ça ?

L'Homme – Quoi ?

Claudette – Es-tu sûr que c'est juste parce que t'aimes le spectacle ?

L'Homme – Oui. Qu'est-ce que tu veux qu'il y ait d'autre ?

Claudette – Je le sais pas. Je te le demande. Es-tu sûr qu'il y a pas autre chose ?

L'Homme – Non.

AU THÉÂTRE

M. L'Homme est assis au théâtre. Un spectateur entre et s'assoit, puis Anita, puis une autre femme. M. L'Homme et Anita se voient tout à coup.

Anita – Ah ! Allô !

L'Homme – Bonjour.

Anita – Vous avez pas trop mal à l'estomac ?

L'Homme – Pour ?...

Anita – Ben... avec tous les cafés que vous avez pris après-midi.

L'Homme – Ah ! Non, non, ça va bien.

Arrive un homme qui s'assoit à son tour.

Anita – Vous m'avez donné le goût.

L'HOMME – De ?...

ANITA – J'ai vu que vous lisiez la pièce pis j'avais pas encore eu le temps de venir la voir/

L'HOMME – Ah ! Ben... Tant mieux.

Arrive une autre femme qui vient s'asseoir près du premier homme, son mari.

ÉPOUSE – Excuse-moi, la réunion a été intermi - nable. Il a fallu que leur dise que j'allais au théâtre parce que je serais encore là.

MARI – C'est pas grave.

La lumière baisse dans la salle.

ANITA – Bonne soirée.

L'HOMME – Merci. Vous aussi.

MARI – Tu sais pas ce que Laroche a fait ?

ÉPOUSE – Non.

MARI – Il y avait des stores verticaux dans son bureau/

On fait signe au couple de se taire.

MARI – Je te raconterai ça après.

Silence. L'épouse déballe une pastille. Soupirs chez quelques spectateurs. La pièce commence. On entend les répliques suivantes dites par les spectateurs qui deviennent les personnages qu'ils regardent.

FEMME-IRINA – « Ce matin, une fois debout et lavée, il m'a semblé brusquement que tout devenait clair, que je savais comment il faut vivre. Tout homme doit travailler, peiner à la sueur de son front, là est le sens et le but unique de sa vie, son bonheur et sa joie. »

MARI-TCHEBOUTYKINE – « Le temps passera et nous quitterons cette terre pour toujours, on nous oubliera, on oubliera nos voix, on oubliera nos visages. »

HOMME-TOUZENBACH – « Les oies par exemple, elles volent, sans savoir pourquoi, ni où elles vont. Et peu importe, pourvu qu'elles volent.

ÉPOUSE-MACHA – Tout de même, quel est le sens de tout cela ?

HOMME-TOUZENBACH – Le sens ?... Regardez la neige. Quel sens cela a-t-il ?

ÉPOUSE-MACHA – Mais il faut bien que la vie ait un sens. »

ANITA-OLGA – « Lorsque tu as du bonheur à petites doses et que comme moi tu le perds, tu deviens amer et méchant. »

HOMME-TOUZENBACH – « Ah ! Cette soif du travail, comme je la comprends ! Je n'ai jamais travaillé. Je suis né à Petersbourg, ville froide et oisive, dans une famille qui n'a jamais connu ni peine ni souci. Je me rappelle, quand je rentrais à la maison, un laquais retirait mes bottes et moi je faisais des caprices, sous le regard admiratif de ma mère. Mais l'heure a sonné, quelque chose d'énorme avance vers nous, un orage énorme se prépare qui balaiera bientôt la paresse, l'indifférence, les préjugés contre le travail et l'ennui morbide de notre société. Je vais travailler et dans vingt-cinq ou trente ans, tous les hommes travailleront. Tous. »

L'HOMME *(Se levant.)* – Excusez-moi, monsieur Touzenbach, mais je suis pas d'accord avec ce que vous dites. Oui, vous avez raison, tout le monde s'est mis à travailler, tout le monde travaille, mais c'est pas vrai, ça a pas apporté le bonheur. Moi, je travaille depuis que j'ai vingt ans, moi, et plus ça va, plus je dois travailler. Tout le monde autour de moi travaille de plus en plus. Il y en a qui tombent malades de trop travailler, mais ils sont pas plus heureux pour autant. C'est pas ça le secret. C'est pas ça. Votre pièce, elle est très belle mais là, à cet endroit-là, elle est mal écrite. L'auteur se trompe. Cent ans plus tard, tout le monde va travailler, c'est vrai, le monde va être plus riche mais il y aura rien de changé, tout le monde sera aussi malheureux ! *(Il se rassoit.)*

C'est la fin de la pièce. Tout le monde se lève pour applaudir sauf M. L'Homme, qui prend un certain temps à se lever.

Les spectateurs sortent.

ÉPOUSE – Pis Laroche ?

MARI – Il a tout fait enlever pis il a installé un climatiseur.

La conversation se perd en coulisses. M. L'Homme et Anita se retrouvent.

ANITA – C'était bon, hein ! Avez-vous aimé ça ?

L'HOMME – Ah oui ! Beaucoup. Beaucoup.

ANITA – C'est beau, hein.

L'HOMME – Oui. Toutes ces histoires d'amour, là... Les amours malheureuses... Le besoin d'amour des personnages, je trouve ça très beau, très touchant.

ANITA – C'est vrai. Il y a tellement de choses dans cette pièce-là, c'est riche.

L'HOMME – Oui. C'est peut-être un petit peu bourgeois, par exemple.

ANITA – Bourgeois ? Vous trouvez ?

L'HOMME – Euh... Moi non. Mais j'ai entendu ça.

ANITA – Qui ça ?

L'HOMME – Ben... du monde qui connaît ça.

ANITA – Le monde qui connaît ça, il sait pas de quoi on parle ! *(Rires.)*

L'HOMME – Ça se peut. Je suis pas assez calé pour juger de ça. Moi, c'est la deuxième fois que je la vois pis j'ai encore plus aimé ça.

ANITA – Ah oui !

L'HOMME – Oui. Je pourrais la voir encore plein de fois, que je me tannerais pas.

ANITA – Ben, je vais leur dire, ça va leur faire plaisir. C'est mes amis.

L'HOMME – Ah oui !

ANITA – Oui.

L'HOMME – C'est vos amis !

ANITA – Oui, oui. Ils ont répété une bonne partie du spectacle au café, ils avaient pas beaucoup d'argent. Ils répétaient de nuit. Les chaises pis les tables, c'est celles du café.

L'HOMME – Ah oui !

ANITA – Oui.

L'HOMME – Ben, ça valait la peine. Vous les féliciterez de ma part.

ANITA – Venez leur dire, ça va leur faire plaisir.

L'HOMME – *(Il hésite.)* Non, non… Il faut que je rentre, je travaille tôt demain matin.

ANITA – OK. *(Temps.)* Bon ben… À une prochaine, peut-être.

L'HOMME – Oui, oui. Sûrement. Bonsoir.

ANITA – Bonsoir.

Elle va en coulisses d'où on entend des exclamations quand elle entre dans la loge, puis quelques phrases :

– Hein ! Anita !

– Je savais que t'étais là !

– On a reconnu ton rire.

– Moi, je l'avais vue, pis je vous l'ai pas dit !

ANITA – Bravo, vous êtes ben bons.

– Merci. T'as aimé ça ?

ANITA – Beaucoup.

– T'es-tu rendu compte que j'ai eu un blanc ?

– *(Rires.)* Ben oui, bravo champion.

ANITA – Ça a pas paru. Heille, il y a un monsieur qui fait dire qu'il a ben aimé ça. Ça fait deux fois qu'il vient.

– Ah oui !

– Heille, on sort-tu à soir ?

– Oui !

– Non, pas moi, je répète de bonne heure demain matin.

– Envoye donc !

– Non, samedi.

– Ah ! Envoye !

– Non, je travaille

Tous – Ahhh ! !

– *(Citant une réplique.)* « Dommage tout de même que la jeunesse soit passée. » *(Rires.)*

Sur ces mots, M. L'Homme, qui écoutait de loin, quitte le théâtre.

Dans l'autobus qui le ramène chez lui, M. L'Homme aperçoit Momo et Nicole qui a les yeux fermés et la tête posée sur l'épaule de son ami. Elle a quelques exemplaires de La Quête *sur ses genoux. Les journaux glissent par terre. Nicole se réveille. Momo les lui ramasse.*

Momo – Take care.

Nicole – Merci.

Elle replace ses journaux sur ses genoux puis bâille. Énormément. C'est comme si elle criait silencieusement ; lui, sourit toujours : les deux masques du théâtre. L'autobus s'arrête, ils sortent.

NICOLE – Viens-t'en. On est arrivés.

Ils descendent. M. L'Homme les suit du regard.

MOMO – J'chus fatiqué. *La Quête, La Quête...*

NICOLE – Laisse faire *La Quête,* Momo, i est tard. J'ai mal aux pieds.

MOMO – J'aime ça dire ça, moé. *La Quête* ! *La Quête* !

Ils disparaissent. M. L'Homme est chez lui. Il regarde son intérieur. Il a une bouffée de chaleur. Il enlève son veston. Il ouvre les fenêtres. On entend un vol d'oies. Il les regarde puis s'assoit sur le divan. Il ouvre la télé. Il n'y a rien d'intéressant. Il la ferme. Temps. On entend doucement les gémissements de la voisine. M. L'Homme se prend la tête dans les mains. Un homme et une femme apparaissent à la fenêtre : Irina et Tcheboutykine.

TCHEBOUTYKINE – Après tout, je ne suis peut-être pas un homme. Je fais semblant d'avoir des bras, des jambes, une tête. Possible que je n'existe pas du tout, je crois seulement que je marche, que je mange, que je dors. Oh ! si je pouvais ne pas exister !

Les gémissements de la voisine se sont transformés en pleurs.

IRINA – J'oublie, j'oublie chaque jour davantage, et la vie passe, elle ne reviendra jamais, et jamais, jamais nous n'irons à Moscou. Je vois bien que nous ne partirons pas.

Les deux personnages à la fenêtre disparaissent et M. L'Homme est sur son sofa, toujours la tête dans les mains.

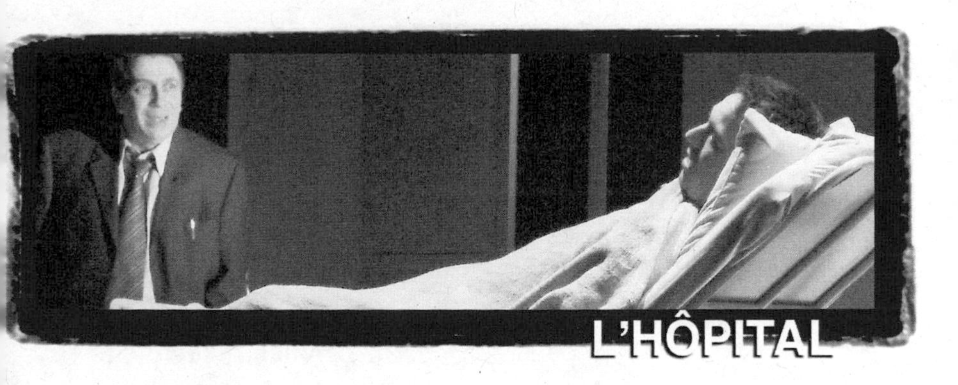

L'HÔPITAL

M. L'Homme est assis, seul. Une infirmière vient lui parler. Il acquiesce à ce qu'elle dit, se lève et entre dans la chambre de Sylvain qui est couché dans un lit. Il est affaibli.

L'HOMME – Eh ! Eh ! Ils t'ont changé de chambre !

SYLVAIN – Ah ! Salut. Ben oui.

L'HOMME – Tu vas être bien ici, tout seul. Grande chambre. Eh ! Pis la vue, toi ! À la hauteur des arbres. C'est beau.

SYLVAIN – Oui. As-tu remarqué ?

L'HOMME – Quoi ?

SYLVAIN – Les arbres.

L'HOMME – Quoi, les arbres ?

SYLVAIN – Les deux, là.

L'HOMME – Les érables ?

SYLVAIN – Oui. C'est un érable argenté pis un érable à sucre. C'est drôle, j'en ai plein sur mon terrain au chalet pis j'avais jamais vraiment remarqué comment c'était différent.

L'HOMME – Ben oui, les feuilles.

SYLVAIN – Pas juste les feuilles, l'écorce, les branches, tout : elles sont vraiment différentes. Même les feuilles bougent pas pareil dans le vent.

L'HOMME – C'est vrai. Tiens. Elles sont virées à l'envers. Pour moi, le mauvais temps s'en vient.

SYLVAIN – C'est drôle… C'est drôle hein comme des petits détails insignifiants prennent tout à coup de l'importance dans la vie. C'est comme si je voyais ces érables-là pour la première fois de ma vie. On dirait qu'ils me regardent ou bien qu'ils m'attendent. Ils sont-tu beaux ces arbres-là ! On doit-tu être bien à côté d'eux autres !

L'HOMME – Tu vas y aller Sylvain, cet été, à ton chalet. Tu vas en passer du bon temps au pied de tes arbres, je te le dis. Heille ! Sais-tu que j'y suis jamais allé à ton chalet en fin de compte !

SYLVAIN – Ben non.

L'HOMME – Chaque été, on se dit qu'on va aller faire un tour pis la première affaire qu'on sait c'est que les vacances sont finies pis on a rien fait !

SYLVAIN – On est tous pareils.

Sylvain disparaîtra de scène lentement durant la réplique.

L'HOMME – Ben, décidons-le donc une fois pour toutes. Hein ! Qu'est-ce que t'en dis ? Cet été, garanti, on va y aller ! Tu prends toujours les deux dernières de juillet pis les deux premières d'août ? Nous autres, on a rien de décidé encore. Tiens ! Le 1er août on va être là ! Tu me feras faire le tour du propriétaire. Hein ? Qu'est-ce que t'en penses ? 1er août. Tu me montreras ton fameux cabanon ! Je te dis qu'on a hâte que tu reviennes au bureau. Prends le temps qu'il te faut, mais on a hâte que tu reviennes. Moi, avec la réforme, j'en ai par-dessus la tête. C'est fou raide. Je pourrais t'en mettre sur ton bureau un peu. Bon écoute, je vais y aller là. Repose-toi un peu. On pense à toi, Sylvain. Tout le monde. Reviens-nous vite pis en forme ! Ton bureau t'attend ! Je vais revenir faire un petit tour cette semaine, OK ? Cette semaine. Bon ben, je vas y aller là. Salut. Salut, mon Sylvain.

Sylvain n'est déjà plus là. M. L'Homme est rempli d'une profonde tristesse.

M. L'Homme est dans la rue. Aucun passant. On entend le bruit d'un hélicoptère qui passe. Il marche. Il ne veut pas entrer tout de suite chez lui. Il aperçoit Anita par la fenêtre du café. Il décide d'y entrer.

AU CAFÉ

Il s'assoit à une table. Anita est là avec son café.

ANITA – Voilà.

L'HOMME – Merci.

Il brasse son café. Elle le regarde ; elle perçoit sa tristesse. Un temps.

ANITA – Voudriez-vous une bonne pointe de tarte au sirop d'érable ?

L'HOMME – Non merci.

ANITA – C'est la recette de ma mère. C'est très réconfortant.

L'HOMME – J'en doute pas mais je suis pas tellement sucré.

ANITA – Comme vous voulez.

Elle retourne à la table où sont ses amis : deux gars et une fille. Ils sont dans une grande discussion très enjouée pendant que M. L'Homme pense à Sylvain.

COMÉDIEN – Je dis ma réplique, j'arrive à la porte. La porte est jammée ! Pas capable de l'ouvrir ! Là, je donne un coup.

COMÉDIENNE – Personne !

COMÉDIEN – Il avait décidé d'entrer par les coulisses.

(Rires.)

COMÉDIENNE – C'était épouvantable !

ANITA – Qui ça ?

LES DEUX – Vincent !

(Rires.)

COMÉDIEN – Ah ! Anita. Je te présente Jeff. Un ami du conservatoire, dans le temps.

JEFF *(Se levant et donnant la main à Anita.)* – Salut.

ANITA – Salut.

COMÉDIEN – Je l'ai sorti de Maniwaki. Il va me remplacer dans le show.

ANITA – Ah oui ! Tu débarques ?

COMÉDIEN – Ben non mais on a eu une offre pour un festival en France.

COMÉDIENNE – Pis si ça va bien, on va peut-être faire une tournée !

ANITA – C'est ben le fun !

COMÉDIENNE – C'est le fun, hein !

COMÉDIEN – C'est le fun mais c'est au mois d'août, pis mon mois d'août est déjà booké. Disons que c'est une mauvaise bonne nouvelle. De toute façon, c'est pas grave, Jeff est un très bon comédien.

JEFF – C'est qui que je fais ?

COMÉDIEN – Touzenbach. Je te l'ai pas dit ?

JEFF – T'as dû me le dire mais j'étais tellement énervé quand tu m'as téléphoné que j'ai tout oublié. Ça fait quatre ans que j'ai pas joué. Touzenbach, ça c'est...

COMÉDIENNE – C'est le baron qui est amoureux d'Irina.

JEFF – OK ! C'est celui qui dit toujours qu'il va travailler mais qui le fait jamais.

COMÉDIENNE – C'est ça.

JEFF – OK, pis toi, tu fais Irina.

COMÉDIENNE – C'est ça.

Anita va à la fenêtre, en attente.

COMÉDIEN – Bon ! Euh... On va passer à travers la pièce. On va juste lire les scènes entre

Touzenbach et Irina. Je vais te donner les grandes lignes du personnage. Ça sera déjà ça de fait.

JEFF – OK.

COMÉDIEN – Bon euh... C'est la fête d'Irina, il y a de l'animation, c'est plein de monde, ça court partout. Pis un moment donné, vous vous retrouvez tout seuls. OK, on commence.

JEFF – À quoi pensez-vous ?

COMÉDIENNE – À rien. Je n'aime pas votre Saliony.

Lentement, M. L'Homme regarde Anita. L'ambiance sonore du café commence à changer.

JEFF – C'est un homme bizarre. J'ai l'impression qu'il est timide. Vous avez 20 ans, je n'en ai pas encore 30. Nous avons encore tant d'années devant nous.

COMÉDIENNE – Ne me parlez pas d'amour.

Anita regarde M. L'Homme.

JEFF – J'ai une soif passionnée de vivre, Irina, et comme par miracle, vous êtes belle et la vie me semble si belle !

Anita avance vers M. L'Homme.

COMÉDIENNE – Oui, pour peu qu'on veuille la trouver belle ! Pour nous, les trois sœurs, la vie n'a pas encore été belle, elle nous a étouffées comme de la mauvaise herbe.

Anita tend la main à M. L'Homme.

L'HOMME – Vous voulez m'emmener avec vous ?

Il prend sa main et se lève.

L'HOMME – Oh oui ! Emmenez-moi avec vous.

Elle l'emmène danser au son de la musique qui a complètement changé.

L'HOMME – Emmenez-moi avec vous. N'importe où. Sur une île. Dans une belle maison, qui est aussi une île. Pour vous regarder. Uniquement. Vous regarder. La finesse de vos mains. La ligne de votre visage. Le sourire de vos yeux. La lumière de votre bouche. Le voile de vos paupières. Vos cheveux. Les mouvements de votre cou. Rester dans la porte et vous regarder prendre votre café et envier votre tasse. Vous regarder regarder dehors et rêver.

JEFF – Cette réplique-là est un peu bizarre. Quand il dit ça, est-ce que déjà il pense à...

COMÉDIEN – Peut-être.

Anita va reconduire M. L'Homme à sa place en dansant.

L'HOMME – Danser contre vous, c'est danser dans la vie. C'est comme une messe quand je rêvais ce qu'était une messe à cinq ans avant que j'y aille. C'est beau comme aurait dû être la rencontre avec Dieu. C'est bon comme aurait dû être bon manger Dieu dans l'hostie qui aurait dû être bonne comme mon dessert préféré.

Il reprend sa tasse pendant qu'Anita retourne, elle aussi, à sa place du début et qu'on réentend la lecture. Retour de la musique du café.

JEFF – Mon adorée. Tu me sembles toujours plus belle. Quels cheveux magnifiques !

Quels yeux ! Il n'y a qu'une chose, une seule : tu ne m'aimes pas.

COMÉDIENNE – Ce n'est pas en mon pouvoir ! Je n'ai jamais aimé de ma vie.

JEFF – Quelles bêtises, quels détails stupides prennent soudain de l'importance dans la vie. C'est comme si je voyais ces sapins, ces érables, ces bouleaux pour la première fois de ma vie. *(Étonné, M. L'Homme regarde les acteurs.)* Ils me regardent avec curiosité, ils attendent. Comme ils sont beaux ces arbres, et comme la vie devrait être belle auprès d'eux. Eh bien ! si je devais mourir, il me semble que je participerais encore à la vie d'une manière ou d'une autre. Irina !

COMÉDIENNE – Quoi !

JEFF – Je n'ai pas pris mon café ce matin, pourriez-vous dire qu'on m'en fasse ?

COMÉDIEN – C'est ça. C'est ben bon.

JEFF – Je vas relire ça à soir après le show. Inquiétez-vous pas.

LES DEUX – On s'inquiète pas.

COMÉDIEN – Bon ! Faut y aller. Je t'ai réservé une place en avant.

JEFF – Parfait. Je suis ben content que tu m'aies appelé, parce que/ Tu sais, *Les Trois Sœurs,* c'est ma pièce préférée de Tchekhov.

COMÉDIEN – Ah oui ?

JEFF – Oui. C'est une pièce sur les régions, à quelque part.

COMÉDIEN – Euh... oui... T'en parleras à Martine, elle va être là ce soir.

COMÉDIENNE – Anita ! Tu mets ça sur notre compte.

Ils sortent. M. L'Homme se lève pour payer et partir à son tour. Anita va à sa table.

L'HOMME – Tenez.

ANITA – Merci.

L'HOMME – Non ! Gardez tout.

ANITA – Mon Dieu ! Merci.

L'HOMME – C'est pour la tarte au sirop...

ANITA – Ça m'a fait plaisir... Retournez-vous au spectacle ce soir ?

L'HOMME – Non.

ANITA – Bonne fin de soirée.

L'HOMME – Merci. Vous aussi.

Il sort.

Il entre chez lui. Anita est toujours au café durant la scène.

CLAUDETTE – Allô.

L'HOMME – Allô.

CLAUDETTE – Viens t'asseoir.

L'HOMME – J'arrive de l'hôpital.

CLAUDETTE – Je t'ai pas posé de question.

L'HOMME – Je sais. Je suis allé voir Sylvain.

CLAUDETTE – Sylvain ?...

L'HOMME – Au bureau.

CLAUDETTE – Ah oui. Le comique, là. Qui s'était construit un cabanon en fonds de bouteilles de vin.

L'HOMME – Qu'il avait toutes bues. Oui. Il en boira plus beaucoup d'autres.

CLAUDETTE – Ah non !

Silence.

L'HOMME – Trente-deux ans. Deux petits gars.

CLAUDETTE – Ça faisait longtemps qu'il était malade ?

L'HOMME – Non. Il me semble que ça arrête plus de partir depuis quelque temps autour de nous autres. Bruno aux Fêtes. Jean-Guy l'an passé. C'est rendu à notre rangée, je pense bien.

Silence.

CLAUDETTE – Est-ce que c'est ça qui te rend triste ? Je te trouve triste ces temps-ci.

L'HOMME – Hum. Oui.

Silence.

CLAUDETTE – En veux-tu une gorgée ? *(Elle lui tend sa tasse de tisane. Anita va la lui porter. Il boit une gorgée.)* Viens-tu te coucher ?

L'HOMME – Pas tout de suite.

CLAUDETTE – Veux-tu que je reste avec toi ?

L'HOMME – Non. Ça va.

Anita reprend la tasse et va la reporter.

CLAUDETTE – Es-tu sûr que c'est ça qui te rend triste ? Y a pas autre chose ?

L'HOMME – Non.

CLAUDETTE – Y aurait pas quelqu'un d'autre, hein ?

L'HOMME – Non.

Elle vient l'embrasser. Anita sort.

CLAUDETTE – À tantôt.

L'HOMME *(Acquiesçant.)* – Hum.

Elle sort.
Un temps dans le silence.
M. L'Homme se lève, mal à l'aise, il erre dans l'appartement, il ouvre la fenêtre, il entend les oies ; soudainement, il se dirige vers la porte pour sortir.
Un temps. Il la referme doucement.
Un personnage apparaît. M. L'Homme va face à lui.

TCHEBOUTYKINE – Nous ne vivons pas. Nous n'existons pas. Il n'y a rien en ce monde. Nous le croyons seulement.

Le personnage disparaît.
On entend les oies à l'extérieur.
M. L'Homme ferme la fenêtre.
Puis s'assoit par terre, sous la fenêtre.

LE RÊVE

M. L'Homme est assis. Claudette entre.

L'HOMME – Claudette ?

CLAUDETTE – Viens-tu visiter avec moi ? C'est notre nouvelle maison. L'aimes-tu ?

L'HOMME – C'est juste un corridor !

Une femme habillée à la mode du début des années soixante apparaît, tout sourire.

MÈRE – Mon petit chéri ! Mon amour !

L'HOMME – Maman !

Elle tend les bras, M. L'Homme se dirige vers elle mais elle passe devant lui et vient embrasser son mari. Dans l'embrasure d'une porte, M. L'Homme regarde ses parents s'embrasser amoureusement. Il s'approche, la mère se retourne vers lui. C'est Anita.

ANITA – Un allongé, monsieur ?

Le père reprend la serveuse-mère, ils sortent en dansant. Nicole passe.

NICOLE – *La Quête. La Quête.* Journal *La Quête.*

M. L'Homme la suit. Elle passe par une porte et la ferme. Il frappe.

L'HOMME – Claudette ! Claudette !

Elle ouvre.

L'HOMME – Je peux-tu entrer ?

CLAUDETTE – Tu m'as déçu, l'autre soir.

L'HOMME – Je m'excuse. J'avais trop bu.

CLAUDETTE – Si tu veux sortir avec moi, va falloir que tu changes.

Elle ferme la porte. Il frappe de nouveau.

L'HOMME – Claudette ! Ouvre-moi ! Claudette !

C'est Momo qui ouvre la porte.

MOMO – Take care !

Il s'en va. M. L'Homme le suit. Il voit son père, par terre.

L'HOMME – Papa !

PÈRE – Aide-moi, mon gars.

L'HOMME – Papa ! Qu'est-ce qu'ils t'ont fait ?

PÈRE – Je suis dans la marde, mon gars !

L'HOMME – Aide-toi, papa ! Laisse-toi pas aller ! Tu sais ce qui arrive quand tu te laisses aller. Papa !

Il essaie de le relever, mais le père s'enfonce et disparaît.

Momo passe avec un vol d'oies dans les mains. M. L'Homme le suit. Deux portes ouvrent derrière lesquelles sont ses deux enfants. Quentin écrit dans sa main. Nadine, enfant, chante « Mon petit papa/ Quand tu es là/ Je suis bien/ Je me sens bien ». Elle le voit. « Papa ! » Elle vient l'embrasser puis se sauve.

NADINE – Suis-moi papa !

Il veut la suivre, mais Quentin l'arrête pour lui montrer ce qu'il a écrit.

QUENTIN – Regarde, c'est ta vie.

L'HOMME – Ça s'efface au fur et à mesure !

QUENTIN – Ben oui.

Il s'en va. La lumière baisse de plus en plus. M. L'Homme est enfermé entre deux portes.

L'HOMME – Claudette ! Où est-ce que t'es ? Je peux pas sortir. Claudette !

Deux infirmières ouvrent les portes. Sylvain entre par la première.

L'HOMME – Sylvain ! Qu'est-ce que tu fais ici ?

SYLVAIN – Eh ! Comme ça c'est vrai l'affaire du corridor de lumière !

L'HOMME – Es-tu mort ?

SYLVAIN – Il m'en reste pour un mois. Je le sais pas encore, je vas l'apprendre demain matin. Tu le sauras pas non plus, je le dirai à personne. Les enfants vont bien s'en sortir mais ça va être plus dur pour Madeleine. Ça va lui faire du bien ce que tu vas lui dire à l'enterrement. Merci.

L'HOMME – Je peux-tu m'en aller avec toi, Sylvain ?

SYLVAIN – Ben oui, viens, ça va être le fun. *(Sylvain passe la deuxième porte.)* Eh !... On est bien ici. J'ai plus mal nulle part.

L'HOMME – C'est vrai ?

M. L'Homme fait quelques pas pour suivre Sylvain puis il s'arrête sur le seuil. On entend de la musique.

L'HOMME – Entends-tu ?

SYLVAIN – Quoi ?

L'HOMME – Ça vient de la chambre de Nadine. Attends.

SYLVAIN – Je peux pas. Je peux pas m'arrêter.

L'HOMME – Je peux pas y aller, Sylvain ! Il y a Nadine. Je peux pas laisser les enfants.

Sylvain disparaît. Les portes se referment. M. L'Homme est devant la porte de Nadine. Il est chiffonné. Il vient de s'éveiller. Il frappe doucement et ouvre.

NADINE – Oui ?

L'HOMME – C'est moi. Est-ce que je peux entrer ?

NADINE – Ben oui, qu'est-ce qu'il y a ?

L'HOMME – Rien. Je m'étais endormi sur le sofa, ta musique m'a réveillé.

NADINE – Excuse.

L'HOMME – Non, non, c'est pas grave. *(Il écoute.)* C'est beau.

NADINE – C'est Bach.

Il écoute. Temps.

NADINE – C'est des variations. À partir du même thème, il fait un paquet de variations : à l'endroit, à l'envers, en miroir, en canon.

L'HOMME – C'est très beau.

Temps.

NADINE – Y a-tu quelque chose qui va pas ?

L'HOMME – Ah non ! C'est juste que... J'ai rêvé, je pense... Je me souviens plus trop c'est quoi mais... c'était bizarre.

NADINE – T'as fait un mauvais rêve ?

L'HOMME – Oui.

NADINE – Ben... entre !

L'HOMME – Non, non, je veux pas te déranger.

NADINE – Tu me déranges pas. Viens t'asseoir.

Il entre. Il s'assoit, pensif. Elle le regarde. Il regarde sa montre.

L'HOMME – Une heure ! T'es pas fatiguée ?

NADINE – C'est mon meilleur temps de la journée. Étudier la nuit avec la musique, c'est ce que j'aime le plus.

L'HOMME – Qu'est-ce que t'étudies ?

NADINE – Des exercices de traduction :

« Ich spürte ihr gegenüber das wiedergeborende Lebenswünschen, wie jedesmal die

Schönheit und das Glück uns Bewußt wurden. » (Allemand.)

« Nahadyas' périd niei, ya tchoustvaval éta jelanié jit', katoraiè kajdyirass rajadaetsa v nas, at' assaznaniya krassaté i achiastiya. » (Russe.)

L'HOMME – Pis en français ?

NADINE – « Je ressentis devant elle ce désir de vivre qui renaît en nous chaque fois que nous prenons de nouveau conscience de la beauté et du bonheur. »

L'HOMME – C'est bon.

Temps.

NADINE – Si ça te dérange pas, je vais continuer.

L'HOMME – Oui, oui, je te laisse travailler.

NADINE – Non. Tu peux rester.

Il se rassoit. Elle retourne à ses livres. Il la regarde étudier. Elle ferme les yeux pour écouter un passage qu'elle aime. Il en est ému. Il se lève.

L'HOMME – Bonne nuit.

NADINE – Hé, hé !

Elle lui envoie un baiser. Rappel d'un rituel d'enfance. Qu'il lui rend. Puis il sort.

Il entre dans sa chambre. Claudette est couchée. Elle est entièrement cachée par les couvertures, comme quelqu'un qui serait mort. Il la découvre. Elle est nue. Il la regarde tout en enlevant sa chemise. Et pose son visage contre son corps.

QUENTIN

L'HOMME – Mais pourquoi t'as lavé toutes mes chemises avec ta chemise rouge ! Il m'en reste plus une ! Sont toutes mauves !

QUENTIN – Ben, il fallait que je fasse du lavage pis j'ai vu tes chemises, ça fait que je me suis dis tiens…

L'HOMME – Ça pressait-tu tant que ça ?

QUENTIN – Ben… oui. Pourquoi tu mets pas celle-là ? C'est moi qui te l'a donnée pis tu l'as jamais mis.

L'HOMME – Elle est ben belle mais je peux pas mettre ça pour aller au bureau.

QUENTIN – Pourquoi ? C'est une pièce unique, c'est un artisan qui l'a faite. Dans une grande institution québécoise, je trouve ça pas pire, moi, encourager un artisan québécois.

L'HOMME – Non, non, c'est sûr, c'est pas ça/

QUENTIN – Ça passerait-tu mieux si tu disais que c'est un Inuit qui l'a faite ?

L'HOMME – Ben non ! C'est pas la question ! Un Québécois c'est ben parfait.

QUENTIN – J'aimerais ça que tu la portes une fois.

L'HOMME – Bon... OK. *(L'enfilant.)* Je rencontre pas le grand boss à matin.

QUENTIN – C'est plate. *(Pendant que son père met la chemise, Quentin s'assoit.)* Ouais ben c'est ça... J'en ai parlé à maman hier soir, pis euh... je pars en Amérique centrale.

L'HOMME – En Amérique centrale !

QUENTIN – Ouais. Six mois. C'est pour ça le lavage, hier soir.

L'HOMME – Quand ça ?

QUENTIN – Ben, là là.

L'HOMME – Pis tu nous en as pas parlé avant !

QUENTIN – Ben... je t'en parle, là. Je pars avec Lache pis Bobo. C'est un truc encadré par l'ACDI. On va prendre le West à Bobo, on va descendre par les États pis après on se rend au Guatemala, je pense. Pis après, c'est le Honduras. On va soit creuser des puits, soit construire des écoles. Pis après le contrat, ça se peut qu'on renouvelle ou ben qu'on décide de descendre encore un bout. T'as l'air surpris.

L'HOMME – Ben... oui... un peu !... Pis là, ils vous engagent comme ça ! Vous avez jamais rien construit de votre vie !

QUENTIN – Ben non mais... Pour ces projets-là, ils avaient pas nécessairement besoin d'ingénieurs ou d'hydromachins... Ils avaient juste besoin de monde qui... qui savait vraiment rien faire finalement. T'es pas d'accord ?

L'HOMME – Non, non, c'est pas ça ! Je trouve... *(Temps.)* Je trouve que c'est un ben beau projet !

QUENTIN – Ouais ! C'est parce qu'ils sont ben gros dans la marde eux autres, tu sais. La grosse marde. Pis nous autres/ Tu sais, même géographiquement on leur chie dessus. Je sais pas si t'as la carte de l'Amérique du Nord en tête. Y a nous autres, les États pis là, en bas, t'as le Texas, le Mexique, pis ça se rétrécit, comme un coccyx, pis c'est comme si... on leur chiait dessus. Toute notre marde se ramasse là. C'est comme notre crotte/

L'HOMME – Oui, oui, ça va, j'ai compris.

QUENTIN – Pis ils se font bouffer par les banques, tu sais. Sont endettés par-dessus la tête. Le café, ça vaut plus rien. Nous autres on trouve que c'est ben du moins qu'on aille les aider un peu. On en boit du café, nous autres ! Qu'est-ce t'en penses ?

L'HOMME – Ben je pense que... oui. C'est vrai ! Vous avez raison ! Pis si plus de monde faisait ça, à commencer par nos gouvernements, pis les grandes compagnies, si tout le monde s'occupait un peu plus de/ Parce que, tu sais, si il y avait un peu plus de respect pis d'amour au fond/ Parce que c'est ça le problème, au fond. Toutes les guerres, les famines, l'exploitation, la pollution, dans le fond du fond là, c'est... c'est un manque d'amour !

Temps.

QUENTIN – Bon ben, je pense que je vais y aller, moi là.

L'HOMME – Tout de suite ?

QUENTIN – Ben oui, faut que j'aille chez Lache, on part à soir.

L'HOMME – Bon ben... Je suis ben fier de vous autres, Quentin. Je trouve que c'est un ben beau projet. C'est très généreux de votre part. C'est... c'est noble.

QUENTIN – Merci. Aurais-tu 100 $? Ce serait pour remplir la première tank pis...

L'HOMME – Oui, oui. Je sais pas si j'ai ça sur moi.

QUENTIN – Donne-moi ce que t'as.

L'HOMME – Tiens.

QUENTIN – Merci.

L'HOMME – C'est le bon temps pour voyager, Quentin. Vas-y ! Après, il va être trop tard.

QUENTIN – Pourquoi ?

L'HOMME – Ben après... tu vas être pris, tu pourras plus.

QUENTIN – Ben voyons, on peut tout le temps. Toi aussi, tu pourrais si tu voulais.

L'HOMME – Non, non. Pas là. Y a trop d'affaires... Tu viens coincé un moment donné, tu sais. C'était avant qu'il fallait le faire pis... qu'est-ce que tu veux... je l'ai pas fait !

QUENTIN – Pourquoi tu l'as pas fait ?

L'HOMME – Ben... pourquoi, pourquoi... On s'est mariés jeunes, on vous a eus jeunes.

QUENTIN – Vous êtes-vous mariés obligés ?

L'HOMME – Ben non. On voulait se marier, on voulait des enfants...

QUENTIN – OK. Pis ta job ? Étais-tu obligé de la prendre tout de suite?

L'HOMME – Non, non, j'étais ben content. C'était un poste d'avenir dans le temps.

QUENTIN – OK. Donc t'as fait la vie que t'as voulue finalement.

Temps.

L'HOMME – Ben... oui.

QUENTIN – OK. C'est parce que... Bon ! Faut que j'aille. *(À la porte.)* Ah ! Je voulais te dire. Tu sais, maman est un peu inquiète à cause de toi, de ce temps-là. Elle est triste un peu, ça fait que... je sais pas... grouille-toi le cul un peu. Je te dis ça de même là... Ça serait le fun que vous soyez encore ensemble quand je vas revenir, ça fait que... fais de quoi. Je te dis ça de même là.

L'HOMME – Oui, oui, OK.

QUENTIN – C'est bon. Bon ben... salut.

L'HOMME – Salut. Hé ! Cow-boy ! *(Faisant référence à un jeu d'enfance, M. L'Homme pointe deux revolvers imaginaires vers Quentin... qui dégaine plus vite que son père et tire. M. L'Homme fait semblant de recevoir le coup. Rires. Quentin s'en va.)* Bonne chance, mon gars ! Sois prudent ! Tu diras salut à Lache pis à Bobo. Appelle-nous de temps en temps ! Appelle-nous, OK ? Salut mon gars !

Il regarde son fils partir.

C'est la sortie des employés du bureau.

FEMME 1 – J'étais tellement contente ! C'était pas Bertrand, finalement.

FEMME 2 – Ben non ! C'était son jumeau !

HOMME 3 *(À M. L'Homme.)* – Eh ! Sapristi ! C'était une foutue de bonne idée. On s'en reparle. À lundi.

L'HOMME – À lundi.

M. L'Homme va s'asseoir au parc. Il enlève son veston. Il porte la chemise que lui a donnée Quentin. La jeune femme qui préparait une installation sur la neige, à la 1re scène du café, vient s'asseoir près de lui. Elle remarque sa chemise.

CATHYA – Excuse monsieur, ça peut vous paraître drôle de te demander ça, mais où c'est que t'as pris ta chemise ?

L'HOMME – Euh... Je le sais pas. C'est un cadeau.

CATHYA – OK. *(Temps.)* C'est parce que je travaille en arts visuels/

L'HOMME – Vous êtes une artiste ?

CATHYA – Oui.

L'HOMME – Ma fille aussi est artiste. Elle est musicienne.

CATHYA – Ah oui !

L'HOMME – Ben, là, elle est en langues mais elle a déjà été musicienne. C'est une vraie artiste.

CATHYA – OK. Ben c'est ça, je suis en train de préparer une installation sur la neige.

L'HOMME – La neige ?

CATHYA – Oui, sur le caractère unique du flocon, en fait.

L'HOMME – Ah oui !

CATHYA – Oui. Pis euh… ben pour te résumer ça rapidement, y a des savants qui ont calculé que depuis qu'il neige sur la terre, c'est des calculs ben ben savants, mais ils ont calculé qu'il serait tombé mille milliards de milliards de milliards de flocons ! Pis d'après eux autres, il y a ben des chances qu'il y en aurait jamais eu deux de pareils.

L'HOMME – Ah non !

CATHYA – Non. Pis ils sont toutes construits pareils, là ! Ils ont toutes six branches ! Mais malgré cette contrainte-là, la Nature a comme, comment je pourrais dire ça, comme un espace de jeu suffisant pour créer des variations à l'infini.

L'HOMME – Sont tous construits pareils pis ils sont tous diff/

CATHYA – Libres.

L'HOMME – Eh ben...

CATHYA *(Regardant la chemise de L'Homme.)* – Puis je suis certaine que ce flocon-là, il y en a pas un autre comme ça dans l'univers.

L'HOMME – Ah non, je peux pas vous la donner, c'est...

CATHYA – Non, non !

L'HOMME – C'est mon fils qui me l'a donnée pis il vient de partir en mission humanitaire, ça fait que...

CATHYA – Oui, oui, je comprends.
Heille, ça te tenterait-tu de participer à mon vernissage ?

L'HOMME – Je suis jamais allé à un vernissage, je sais pas comment ça marche.

CATHYA – T'aurais rien à faire.

L'HOMME – Rien ?

CATHYA – Rien. T'aurais juste à être là pis à te promener avec ton flocon.

L'HOMME – Ce serait quand ?

CATHYA – Dans quatre mois. Ça te laisse le temps pour y penser.

L'HOMME – Ben... Pourquoi pas ? Ça pourrait être le fun.

CATHYA – Oh good ! Merci. Je vais prendre ton numéro.

L'HOMME – Je vais vous laisser ma carte.

CATHYA – Merci. Oh my God ! Merci beaucoup. C'est un signe ça ! Au revoir.

L'Homme – Au revoir.

Il se lève, amusé, et s'en retourne chez lui.

M. L'Homme est chez lui. On entend de la musique : celle sur laquelle il a dansé au café avec Anita. Claudette se prépare à partir, elle se regarde dans le miroir et fait quelques retouches. Elle bouge doucement au son de la musique. M. L'Homme la regarde.

Claudette – C'est bon le disque que t'as acheté.

L'Homme – Ah ! J'ai entendu ça à la radio, l'autre jour.

Claudette – C'est très bon. Ça fait différent. *(Elle le regarde.)* Tu me fais rire avec ta chemise.

L'Homme – J'ai eu beaucoup de succès au bureau avec.

Claudette – J'en ai pour une heure, une heure et demie. Je reviens tout de suite après.

L'Homme – OK.

Ils se regardent. Elle sort. Il se lève et dansotte un peu. On entend soudain une engueulade entre la voisine et son chum.

ANITA – Je suis écœurée m'entends-tu ! C'est toujours la même maudite affaire !

CHUM – C'est ça, retournes-y chez ta mère !

ANITA – Je m'en vas. Tu me reverras plus jamais la face.

CHUM – Bon débarras ! Tiens, tes maudites affaires !

Il lui lance ses valises.

ANITA – Heille ! Mes valises !

CHUM – Tu t'en vas pas, c'est moi qui te sacre dehors !

Le chum s'en va. M. L'Homme sort dehors.

L'HOMME – Voulez-vous que j'appelle la... ! *(Il reconnaît Anita.)* Voulez-vous que j'appelle la police ?

ANITA – Non, non, ça va.

L'HOMME – Avez-vous besoin d'aide ?

ANITA – Est-ce que je pourrais appeler un taxi de chez vous ?

L'HOMME – Oui, oui, entrez, entrez.

ANITA – Merci. *(Ils entrent.)* Excusez-moi... vraiment... je suis désolée.

L'HOMME – C'est pas grave. *(Malaise.)* Vous habitez là ?

ANITA – Oui. Ça fait six mois que j'ai emménagé chez cet insignifiant-là ! Vous, vous restez ici ?

L'HOMME – Oui.

ANITA – C'est drôle, hein, qu'on se soit jamais vus !

L'HOMME – Ah ! Ça change tellement de locataires dans votre bloc, on remarque même plus. Pis on a pas les mêmes horaires.

ANITA – Ben non. *(Elle éclate en sanglots.)* Excusez-moi !

L'HOMME – Est-ce qu'il vous a fait mal ?

ANITA – Non, non. Il m'a juste serré un bras un peu, mais j'y ai maudit une claque. Ah ! Que je suis tannée, que je suis donc tannée.

L'HOMME – Voudriez-vous vous étendre un peu ?

ANITA – Je vous remercie. Ça va passer. *(Elle pleure.)* Pourquoi ça m'arrive toujours à moi, ces affaires-là ? ! Pourquoi je peux pas avoir une vie normale comme tout le monde ? Tiens, c'est ça ma vie, moi ! *(Elle dessine une ligne brisée, comme un graphique plein de hauts et de bas.)* Ça toffe jamais plus qu'un an, je devrais le savoir pourtant ! Pourquoi les gars deviennent tous niaiseux avec le temps ? C'était tellement le fun au début, si vous saviez. Il était tellement fin, tellement romantique, tellement intense.

L'HOMME – Oui, je le sais.

ANITA – ? ? ?

L'HOMME – Quand les fenêtres sont ouvertes, vous savez... on entend beaucoup l'intensité !

ANITA – Ah ! Vous nous...

L'HOMME – Un peu.

ANITA – Ah ! Je... Excusez.

L'HOMME – Non, non.

ANITA – C'est... c'est la vie, hein.

L'HOMME – Ben oui.

ANITA – Mon père me disait toujours : « Un jour, y en aura un avec qui tu vas te sentir fleurir. Celui-là, ça va être le bon! » J'ai pensé que c'était lui. Je me suis donc trompée.

L'HOMME – Il était jardinier?

ANITA – Non mais il aimait beaucoup les fleurs. Il disait que tout, dans la vie, est appelé à devenir une fleur. C'est beau, hein. Pis regardez le chardon qu'il a pogné comme fille ! *(Elle pleure.)*

L'HOMME – Vous voudriez pas un peu d'eau ?

ANITA – Non, non, je vous remercie, je vais y aller. Excusez-moi, je suis désolée. *(Elle le regarde.)* Comment vous faites, vous ? Je vous regarde au café. Vous avez l'air tellement calme. Votre vie a tellement l'air... comme ça. *(Elle dessine une ligne plane.)* Comment vous faites ?

L'HOMME – Bof... Pas grand-chose. Je... Je fais rien.

ANITA – Rien ?

L'HOMME – Non, rien.

ANITA *(Le regardant comme s'il détenait l'une des clés de l'existence.)* – Vous êtes un sage, vous.

L'HOMME – Bof...

On entend frapper. M. L'Homme va ouvrir. C'est le chum d'Anita. Il a un kleenex dans une narine, il a saigné du nez.

CHUM – Excusez, est-ce qu'Anita est là ?

L'HOMME – Euh...

Elle fait signe qu'il peut. Il entre.

ANITA – Qu'est-ce que t'as ?

CHUM – C'est rien. Je m'excuse. C'est moi qui est en tort. Peux-tu venir ? On va se parler calmement.

Temps.

ANITA – OK. Je m'en viens.

CHUM – Veux-tu que je prenne tes valises ?

ANITA – Ce serait gentil.

Il les prend et sort.

CHUM – Excusez.

L'HOMME – C'est pas grave.

Il sort.

ANITA – Je l'aime !

L'HOMME – Ben oui !

ANITA – Merci pour tout.

L'HOMME – C'est rien.

ANITA – Une chance que vous avez été là, j'aurais pu faire une bêtise.

L'HOMME – Ah ! Mon Dieu...

Elle s'approche pour l'embrasser. Il offre sa joue, elle prend la bouche. Temps.

ANITA – Au revoir.

L'HOMME – Au revoir.

Elle sort. Il flotte. Il met son veston. Et s'envole... Il croise les oies.

Momo passe dans la rue et lui envoie la main. M. L'Homme atterrit et vient s'asseoir près de lui.

MOMO – T'es pas peureux.

L'HOMME – Pardon ?

MOMO – T'es pas peureux.

Il fait signe qu'il peut lui trancher la gorge.

L'HOMME – Tu ferais ça, toi ?

MOMO – Ben non. Je suis doux comme un agneau. Take care. Euh… t'es pas supposé me voir.

L'HOMME – Ah non ? Comment ça ?

MOMO *(Montrant sa cape.)* – La cape ! Une cape d'espion ! Je suis invisible.

L'HOMME – OK !

NICOLE *(Arrivant.)* – Eh ! Mon chum !

MOMO – Nicole ! Salut Nicole !

Il la prend dans ses bras.

NICOLE – Salut Momo ! T'es mon meilleur, toé. Hein ! Je te le dis. T'es mon meilleur.

MOMO – Le meilleur.

On entend les oies.

NICOLE – Hin ! Les oies !

MOMO – Les oies !

Ils les regardent voler tous les trois. Momo essaie de les imiter.

L'HOMME – Ça doit être le fun de pouvoir voler comme ça.

MOMO – Je vole, moi. Ma cape. A vole.

NICOLE – Moi, j'aimerais pas ça. Oh cry, non. Tout le temps la même trail. Le Sud en hiver, le Nord en été. Le Sud en hiver, le Nord en été.

MOMO – Le Sud en hiver, le Nord en été.

NICOLE – Je pourrais pas aller où je veux.

MOMO – Take care.

NICOLE – Que c'est que ça veut dire ça, take care, Momo ? T'arrêtes pas de dire ça depuis un bout de temps. Take care, take care, take care.

MOMO – Euh... ? Je le sais pas.

L'HOMME – Prends soin.

NICOLE – Hein ?

L'HOMME – Prends soin. Prendre soin des autres. Prends soin de toi.

NICOLE – Hin ! C'est violent !

MOMO – *(Fermant le poing.)* Take care !

NICOLE – Heille, monsieur, veux-tu mon nouveau numéro ?

L'HOMME – Ben oui.

NICOLE – Page 18, tu le liras, c'est moi qui a écrit le poème.

L'HOMME – Ah ! J'ai plus d'argent. Ben tiens ! Veux-tu mon livre en échange ?

NICOLE – C'est quoi ?

L'HOMME – C'est une pièce de théâtre.

NICOLE – Du théâtre ! Hin ! Momo i en fait, lui, du théâtre.

MOMO – Du théâtre. Au centre. Dins activités. C'est compliqué. Faut apprendre le texte, les déplacements, les émotions.

L'HOMME – Mais est-ce qu'il y a des affaires que t'aimes ?

MOMO – Faire l'amour, les costumes, un espion.

NICOLE *(Regardant la couverture du volume.)* – *Les Trois Sœurs.*

MOMO – Moi, j'en ai pas de sœur. Pas de frère, pas de sœur. La paix !

NICOLE *(Ouvrant une page au hasard et lisant.)* – Acte onze. Tou-zen-bache. « Alors d'après vous, il ne faut même pas rêver au bonheur ? » Ver-chi-nine. *(Elle fait lire la réplique à Momo.)* Regarde, Momo.

MOMO – « Non. »

NICOLE – Touzenbache joignant les mains et riant. « Visiblement nous ne nous comprenons pas. Comment vous convaincre ? » Tché-bou... Tché-bou... Trop compliqué ! « Nous ne vivons pas. »

MOMO – « Nous ne vivons pas. »

NICOLE – *(Plus bas.)* « Nous n'existons pas. »

MOMO – « Nous n'existons pas. »

(Nicole poursuit, de plus en plus bas, la lecture de cette réplique, tandis que Momo la finit tout seul.)

MOMO – « Il n'y a rien en ce monde. Nous le créons seulement. »

Son visage se transforme pour devenir celui du comédien. On entend une réplique de Touzenbach qui entre sur scène. Pendant la réplique, les autres acteurs prennent leur place dans la mise en scène de la pièce à laquelle assiste M. L'Homme. Nicole et Momo deviennent aussi des comédiens. M. L'Homme regarde la pièce.

TOUZENBACH – Non seulement dans deux ou trois cents ans, mais dans un million d'années, la vie sera encore la même ; elle ne change pas, elle est immuable, conforme à ses propres lois, qui ne nous concernent pas, ou dont nous ne saurons jamais rien. Les oiseaux migrateurs, les oies, par exemple, doivent voler, et quelles que soient les pensées, sublimes ou insignifiantes, qui leur passent par la tête, elles volent sans relâche, sans savoir pourquoi, ni où elles vont. Elles volent et voleront, quels que soient les philosophes qui volent parmi elles ; elles peuvent toujours philosopher, si ça les amuse, pourvu qu'elles volent…

L'HOMME – Excusez-moi, baron Touzenbach. Ce soir, c'est la dernière de la pièce. Je suis venue la voir plusieurs fois et puis cette réplique-là, c'est ma réplique préférée. Si ça vous dérange pas, pourriez-vous me la dire une dernière fois, s'il vous plaît ?

TOUZENBACH *(Reprenant lentement, pour M. L'Homme.)* – Non seulement dans deux ou trois cents ans *(M. L'Homme dit le début de la réplique en même temps que Touzenbach qui se taira pour laisser M. L'Homme la dire seul dans ses propres mots.)*, mais dans un million d'années, la vie sera encore la même ; elle ne change pas, elle est immuable, conforme à ses propres lois…

L'HOMME – Elle change pas, elle est immuable, elle a ses propres lois qui sont beaucoup plus grandes que nous autres, dont on sait à peu près rien mais qui nous mènent, qui nous conduisent. Regardez les oiseaux migrateurs par exemple, les oies, les canards, les outardes qui passent au-dessus de nos têtes tous les printemps, ils volent, sans peut-être même savoir pourquoi, mais ils vont leur chemin, ils volent, pis même s'il y a des philosophes parmi eux ou des poètes ou des simples d'esprit, même s'il y en a qui ont de grandes pensées ou d'autres qui pensent à rien parce qu'ils sont trop fatigués de voler, c'est pas grave, ça fait rien, du moment qu'ils volent pis qu'ils continuent à voler.

MACHA – Tout de même, quel est le sens de tout cela ?

L'HOMME – Le sens ? Regardez la neige ! Quel sens est-ce que ça a ? !

Les acteurs se lèvent et font face à M. L'Homme. Puis ils marchent vers lui, qui passe à travers le groupe. Il se retourne et les regarde entrer en coulisses. Puis il s'en va, dans l'autre direction, dans un autre rythme.

Naître ailleurs

Comme la beauté, les textes naissent parfois lentement. Dès le premier vers de *L'Odyssée,* notre père Homère cite ses sources : « Ô Muse, conte-moi l'aventure de l'Inventif [1] ». Il se place ainsi sous l'égide de l'Inspiration, présentée ici comme une déesse, en tout respect de ce qui lui est antérieur et essentiel. Un peu plus et on croirait qu'il ne sait encore rien de ce qu'il s'apprête à raconter ! La mise en récit du prodigieux retour d'Ulysse dans sa patrie est aussi importante que l'histoire elle-même. Le langage s'installe sur la toile des faits : la beauté d'un texte littéraire tient dans son existence autant que dans son résultat.

Un texte à monter, à jouer, à vivre devant public, des comédiens pourraient choisir d'attendre qu'il s'en présente un. C'est parfois ce qu'ils font, dans leur acception active de l'attente, c'est-à-dire en se plaçant, dans une bibliothèque ou une librairie, à l'affût de la pièce dont ils tireront leur prochain spectacle. Parfois encore, c'est d'eux-mêmes, de ce qu'ils sont comme individus et comme groupe, qu'ils comptent voir jaillir le propos et la matière de ce qu'ils nous offriront en partage. L'étincelle, la fulgurance : fort bien, encore que dans la perspective d'un travail collectif la dictée de la Muse puisse être difficilement praticable ! Alors il n'est pas

1. Homère, *L'Odyssée*, I, 1, ici dans la traduction de Philippe Jaccottet, Paris, La Découverte, 2000, p. 12.

inopportun de donner un coup de main à l'inspiration, de fournir l'impulsion initiale, l'élan, et d'ensuite canaliser l'énergie collective dans une même voie.

Pour y arriver, les membres du Théâtre Niveau Parking ont choisi de passer par un autre genre littéraire, d'aller puiser à la dynamique d'une forme réputée pour sa vivacité dramatique : la nouvelle. De faire naître *Lentement la beauté* ailleurs que dans la matrice habituelle dont on tire les pièces. Que pouvait leur offrir la nouvelle ?

L'équation qui la fonde est agréable à formuler : *en dire le plus avec le moins.* Ses réussites les plus éclatantes résultent souvent de l'absence de moyens. Mais qu'il est difficile d'atteindre à la puissance évocatrice dans un régime d'exiguïté !

Il saute aux yeux, dès qu'on lit la didascalie d'ouverture de la pièce, que le Niveau Parking a pareillement choisi de rendre féconde l'exiguïté, ce qui est manifeste dans la disproportion entre la foule des personnages et les comédiens, peu nombreux, qui les incarneront. Le spectacle ne tarde pas à le confirmer (la superposition des personnages apparaît d'ailleurs très tôt dans la nouvelle) : spectateurs, nous sommes plongés dans une scénographie de la transition, du déplacement, de la mutation, voire de la multiplication. En montrer beaucoup avec peu.

D'autre part, la nouvelle, par sa narrativité exacerbée, impose un rythme compatible avec ces expériences d'écriture collective proposées au début du XXe siècle par les écrivains et artistes surréalistes. Le principe s'apparente à la course à relais, mais sans piste définie : vous vous lancez de toutes vos forces, avant de céder le témoin à quelqu'un qui n'a qu'un but, mener le texte un peu plus loin, ou ailleurs, et ainsi de suite, chaque sensibilité venant s'installer sur un tissu dont elle garde la pleine liberté d'interprétation. L'intention initiale se trouve ainsi démultipliée, et parfois déviée, au gré des interventions successives. La spontanéité de celui qui prend le texte comme on le lui a donné devient ainsi un agent actif, la contrainte première du travail collectif prend allure de moteur. À ce stade, les scripteurs seront ensemble... séparément. En n'étant pas sûrs de ce qui surviendra : le relais engendre une part d'aléatoire. Du moins ne connaissaient-ils, à ce moment du processus de création, que ce qu'avaient esquissé les premiers ateliers d'improvisation. Mais voyons d'abord comment tout cela a été conçu et organisé.

L'écriture à relais

Le fin mot de l'entreprise est *atelier*. Héritier de la tradition de la création collective, le Niveau Parking conçoit à l'automne 2002 l'écriture de son futur spectacle de la façon suivante :

1) des séances d'impro ;

2) une mise à l'écrit sous forme de nouvelle à relais, par le biais du courrier électronique ;

3) l'établissement d'un canevas à partir de la nouvelle ;

4) de nouvelles séances d'impro élaborées dans le sillage de la nouvelle ;

5) la consignation[2] du texte au moment où des évidences s'imposent dans la réalité du mouvement, du geste et de la réplique ;

6) et, enfin, l'écriture de la pièce par Michel Nadeau.

Le travail, on le voit, est affaire commune de bout en bout, à l'exception de la deuxième phase, là où chacun, à tour de rôle, est chargé de faire

2. Travail confié à Anne-Marie Olivier, l'assistante à la mise en scène. La vidéo est aussi mise à contribution.

avancer l'« histoire », et de la sixième, où le metteur en scène commence à fixer le texte dramatique – mais il y a davantage, on le verra. Magnifique illustration d'un ethos collectif : à tour de rôle les scripteurs se placent au centre de rayonnement de ce travail en cours, de ce *work in progress.* L'écriture éminemment solitaire de la nouvelle ayant livré ses fruits, l'équipe se reforme et s'en remet à la simultanéité de l'improvisation. Les personnages viennent de gagner en définition, notamment grâce à ce qui n'a pas survécu à la transcription du langage narratif, à la mise en place scénique. Le corps peut alors revenir au jeu.

Une écriture de la disparition

Lors d'un entretien[3] les comédiens avoueront que s'ils attendaient de l'écriture à relais qu'elle dynamise les éléments dégagés par la première phase d'improvisation, le principe tenait aussi du jeu : quand le texte vous échoit, l'occasion est belle de suggérer de nouvelles pistes, de réactiver un élément qu'on semble avoir négligé ou déclassé en cours de route, de changer le rythme : la représentation ne connaît pas de repos[4], alors que les textes narratifs semblent parfois s'arrêter – au profit, par exemple, de la description. C'est ainsi qu'apparaîtra, dans le registre onirique choisi par Marie-Josée Bastien, le passage lors duquel L'Homme est mis en contact avec le souvenir de son père défunt. Cas d'addition dans une économie générale qui opère plutôt à l'inverse. À charge pour la scénographie d'indiquer aux spectateurs

3. Mené le 18 décembre 2003.

4. Les artistes de la scène qui s'y adonnent savent qu'ils installent alors un immense malaise dans le public.

qu'ils accèdent alors au palier de l'intimité. Les comédiens le disent avec conviction : il importait d'abord que chacun insuffle dans sa portion de la nouvelle son propre dynamisme.

Il a été plus tôt fait mention que l'exiguïté propre à la nouvelle sollicite la gomme à effacer autant que la plume des nouvellistes : au nom de cette règle exigeante, de ce sacrifice consenti, le superflu est jeté par-dessus bord. Ici, une partie des éléments dégagés par la ligne narrative[5] retourne à la virtualité. Quelque chose toujours doit rester dans l'ombre, fournissant en quelque sorte sa part de signification par irradiation. La nouvelle ne se pose pas comme l'équivalent de la Bible, l'aune de l'orthodoxie ou d'un dogme, la référence définitive. Ce qui attire l'attention sur le fait qu'elle fonctionnait parfois en circuit fermé, c'est-à-dire qu'une brève impulsion pouvait l'inscrire comme sa propre finalité : ainsi y sera-t-il fait l'essai du passé simple[6] ; ailleurs on assistera au changement de la voix narrative (troc du IL au profit du JE, avec retour à un point de vue extérieur davantage conforme à celui du spectateur assis

---

5. Ainsi, la chemise hawaïenne. L'abandon d'un matériau peut se faire à un autre moment, d'une autre manière : « Nous avions songé à une rencontre entre L'Homme et Claudette dans une maison qu'elle faisait visiter, comme s'il s'agissait de son espace mental à elle – mais ça ne fonctionnait pas. »

6. La combinaison du passé simple (événements rapides ou singuliers) et de l'imparfait (événements réitérés ou se déroulant lentement) s'est imposée dans la narration et reste encore opératoire même si, à l'oral (c'est-à-dire dans l'usage le plus fréquent de la langue), on n'utilise plus le passé simple depuis des générations. Ce temps porte en somme la marque absolue du récit – ce en quoi il ne présente pas beaucoup d'intérêt pour la représentation scénique ! Y consentir, dans le cadre de la nouvelle, c'était attendre d'une autre forme, d'un autre langage, un éclairage neuf sur le propos.

dans la salle de théâtre). Petit plaisir de l'expérimentation !

Deux avenues s'offraient aux auteurs quand est venu le temps d'établir le texte définitif de la nouvelle : la laisser dans l'état à partir duquel s'est construit le spectacle ou la ramener plus près de la cohérence à laquelle aspirerait un nouvelliste, ce qui, en l'occurrence, consisterait à combler les lacunes qu'on découvre à la relecture – tel aspect laissé en suspens, volontairement ou pas –, à supprimer les passages ouvrant sur des avenues que le spectacle a retranchées, et à corriger les glissements, notamment dans le temps de narration et dans le choix de la voix narrative. L'équipe a choisi la première avenue, au nom de ce qui avait présidé à l'esprit général : elle ne se sentait pas de fidélité à l'égard de la nouvelle-relais, qui n'avait de portée réelle que dans la genèse du spectacle[7]. Garder à l'idée, et dans la forme dont un livre conservera dorénavant la mémoire, qu'il ne s'agissait que d'une phase intermédiaire.

Un jeu

Par ailleurs, le principe de l'écriture à relais tenait du jeu : l'occasion était belle pour chacun de suggérer de nouvelles pistes, quitte à ce que les étapes subséquentes ne les retiennent pas. Il suffisait parfois qu'on ait de la sorte cerné davantage les personnages : l'écriture narrative passe sans difficulté de la psyché à l'action et vice versa. Elle procède d'autre part par accumulation

7. « Plus le spectacle approchait, plus la nouvelle s'estompait », avouera l'une des comédiennes. Et encore : « La nouvelle nous a servi pour le spectacle, mais il ne s'agissait pas d'en faire l'adaptation. »

linéaire[8], alors que le spectacle théâtral s'organise par superposition des différents signes mis à sa disposition (voix, silence[9], mouvement, éclairage, décor, costume, maquillage, etc.). À ce titre, la question posée par Hugues Frenette est exemplaire : « Les oies auront-elles la présence d'esprit de modifier leur trajectoire ? » Il rend la pleine mesure du don qui lui était fait : qu'est-ce donc que ce volier d'oies ? Qu'en ferons-nous ? Une image du Nord ? Une représentation métaphorique d'un homme en voie de *changer de saison* ? La présence tangible, et pourtant invisible lors du spectacle, de Tchekhov ? (Ce qui volera au-dessus de nos têtes, ce sera en définitive une citation, un extrait des *Trois Sœurs*.) Ainsi le bouleversement affirmé dès les premiers instants de la pièce n'est-il pas visible seulement sur le personnage central, mais aussi dans sa narration même quand il habite la nouvelle – et c'est tout de même ce qu'un narrateur a de plus précieux, de plus viscéralement vrai !

Tchekhov, la nouvelle et le théâtre

On s'étonne parfois en Europe de l'amour que les Québécois portent à Tchekhov[10]. Son théâtre

8. N'en faisons pas une loi absolue de la nouvelle : une certaine syntaxe expérimentale a cherché à vaincre les limites de la linéarité en intégrant le discours direct dans le flux narratif proprement dit, en déplaçant par modulation de l'énonciation (un JE se muant imperceptiblement en IL ou ELLE en cours de phrase), en dédoublant la transitivité (le complément d'objet jouant simultanément la fonction de sujet dans une phrase « bicéphale »), etc.
9. On ne se tait pas de la même façon dans une nouvelle et sur une scène.
10. Tchekhov le dramaturge, s'entend. En ce qui a trait à la nouvelle, c'est l'influence de Julio Cortázar sur les nouvelistes québécois qui frappe les Franco-Européens.

est souvent représenté chez nous, l'Opsis est allé creuser dans son sillage (pensons à *Je suis une mouette, non ce n'est pas ça*, en 2000, titre répondant à une réplique de la fameuse pièce d'Anton Pavlovitch T.). Première explication, en forme de question : n'est-il pas normal que nous nous intéressions à l'œuvre d'un auteur partageant avec nous des origines nordiques ? Auquel cas, il faudrait aimer tout Tchekhov, nouvelles y compris, et toute la littérature russe[11]. Ce qui ne semble pas être le cas. La réponse loge sans doute ailleurs que dans la neige et le froid[12] ! M. L'Homme n'a que faire de considérations anthropologiques, fussent-elles nourricières. Il est désemparé, dans le sens immédiat du terme : il n'est plus maître de lui-même. Quelque chose se joue au-delà de lui – de nous ! On lui a confié un mandat de réforme, c'est-à-dire réunir le personnel autour d'un projet, peut-être un projet destiné à n'accoucher de rien de précis ou à réinventer la roue. Cette roue, elle tourne, elle broie – nous en savons quelque chose, nous qui étions assis dans la salle du Périscope au moment où la pièce était créée. Nous souffrions avec lui de la déroute de la vie – ce qui s'appelle parfois le cancer, l'hospitalisation, la mort. De cette roue implacable, nous connaissons intimement les invisibles engrenages. Sa triste et victorieuse entreprise de nivellement nous laisse muets. M. L'Homme découvre Tchekhov, en l'occurrence le théâtre, la littérature, l'art.

L'art de Tchekhov : pareillement invisible, ne reposant sur rien en apparence. La ténuité même, comme

---

11. Pensons plus particulièrement à Tourgueniev, Borodine, Evtouchenko.

12. Ce qui n'est pas une raison pour se priver de la représentation du froid chez un Oblomov, un Dostoïevski ou un Pasternak !

des harmoniques flottant au-dessus des notes. Tchekhov bouleverse, il n'anéantit pas. Il est métaphysique dans un monde où pèse – et règne ! – la gravitation. Sa gravité est légère, aérienne, diaphane. Et là, ô merveille, les noms de ses héroïnes, leurs prénoms magiques, ce à quoi les noms masculins répondent dans l'harmonie la plus naturelle qui soit !

> TCHEBOUTYKINE – *Après tout, je ne suis peut-être pas un homme. Je fais semblant d'avoir des bras, des jambes, une tête. Possible que je n'existe pas du tout, je crois seulement que je marche, que je mange, que je dors. Oh ! si je pouvais ne pas exister !*

M. L'Homme avoue ne pas comprendre Tchekhov. Ce qui le pénètre ne passe pas par l'axe de la compréhension – par osmose, nous éprouvons le même délicieux phénomène.

Tchekhov ne constitue pas *la* réponse : « Nous ne voulions pas que le type prenne la décision d'aller voir Tchekhov. La pièce survient par hasard dans sa vie : il gagne des billets (pas chers), il trouve le texte dans une librairie d'occasion. Le libraire est sceptique, Tchekhov ne fait pas l'unanimité. » Les comédiens s'appuieront sur des extraits, souvent dits depuis les coulisses d'ailleurs, pour dessiner un espace mental, de telle sorte que nous voilà plongés dans une expérience similaire à celle de la lecture de la nouvelle : ce que nous voyons c'est M. L'Homme en présence du texte, des mots entendus de là-bas (de Russie, du XIXe siècle !) et c'est notre propre espace mental qui recompose la scène.

Les conventions théâtrales

Lors de notre entretien avec les comédiens, Lorraine Côté a observé : « Ce qu'il y a de merveilleux au théâtre, c'est qu'on établit des conventions – et les gens y croient, se disent : tiens, voilà les règlements de la soirée. Si l'éclairage arrive du côté jardin, c'est qu'on est au théâtre ; si les chaises sont disposées en rangée, c'est que M. L'Homme est assis dans son divan, chez lui ; une autre disposition des chaises et on se retrouve dans l'autobus : le public embarque tout de suite. Nous installons avec lui des codes : on lève la tête et chacun sait que les oies passent. Le public est content : il a l'impression d'écrire le spectacle au fur et à mesure de son déroulement. Cette dimension est absente de la nouvelle. Et du cinéma, d'ailleurs. »

La participation tacite du public est consubstantielle à la pièce : M. L'Homme est en passe de perdre pied. Être un homme exige que se juxtaposent le fonctionnaire, le père, le citoyen et l'ami d'un homme qui va mourir. La magie de la représentation consiste à nous faire asseoir avec lui – davantage : nous asseoir *en lui* – quand il se rend assister à la pièce. Assis, ne le sommes-nous pas au même moment ? Retour à la nouvelle : les genres narratifs reposent sur une médiation entre les lecteurs et les personnages, médiation qui opère comme un regard par le biais de la voix narrative, de *ce* qui raconte l'histoire. Quand le phénomène opère, nous perdons de vue l'intrusion – qui s'appelle *lecture* – grâce à laquelle nous sommes au milieu des personnages et des actions. Nous oublions alors que nous lisons. Au théâtre, assis dans la salle, nous n'occupons pas le même espace que les comédiens, affairés sur la scène. Tchekhov, placé dans *Lentement la beauté* comme la ponctuation dans une grande phrase d'une heure et demie, abolit la frontière puisqu'il se présente à nous comme à M. L'Homme.

> VERCHININE – *Je me dis souvent : si l'on pouvait recommencer sa vie, une bonne fois, consciemment ? Si cette vie que nous avons n'était, pour ainsi dire, qu'un brouillon, et l'autre, une copie propre ?*

Pistes pédagogiques

La richesse de *Lentement la beauté*, pleinement appréciable lors de la représentation, pourra constituer dans les classes le terreau favorable à maintes discussions sur la nature du théâtre.

La traduction en langage scénique de ce dont on prend d'abord connaissance, dans ce livre, par la nouvelle exigeait une abondance de notations didascaliques. Il serait intéressant de se pencher sur la façon de traiter la conversion d'un texte narratif et linéaire en texte théâtral destiné à la représentation.

Le recours à l'écriture à relais visait à renvoyer les scripteurs, qui avaient jusque-là agi en groupe, à une phase susceptible de laisser s'exprimer la spontanéité de chacun. Spontanéité paradoxale, à vrai dire, puisqu'elle exige qu'on l'encadre, l'organise. N'oublions jamais qu'*art* et *artifice* possèdent une étymologie commune. Le travail d'atelier s'appuie de la même façon sur une apparence de chaos (les propositions fusent), mais ne sera pleinement efficace que s'il permet d'aboutir à la densité, à la consistance lors de la représentation.

Les types d'interventions collectives en atelier varient au gré des époques et des équipes de travail : l'intérêt particulier de la genèse de *Lentement la beauté* tient du recours à un langage fort différent de celui du théâtre et des dramaturges, à savoir la nouvelle. L'étude des transformations[13] d'une strate à l'autre (suivant le cheminement en six phases exposé plus haut) permet, par différenciation (l'accumulation narrative par rapport à la superposition scénique ; la teneur différente du dialogue, selon le genre pratiqué ; l'organisation grammaticale des temps de verbes et des pronoms personnels ; l'identification des conventions scéniques[14] ; le déploiement de la distribution des rôles aux comédiens ; la place de la mise en scène, etc.), une connaissance accrue, non seulement du théâtre, placé ici au centre de la cible, mais aussi de la nouvelle et du discours narratif.

Le fin mot de l'histoire revient à la critique et au public, qui ont été d'accord pour faire de *Lentement la beauté* l'un des meilleurs spectacles théâtraux des dernières années. Quant au Théâtre Niveau Parking, il n'est pas dit qu'il ne renouera pas avec le processus qui a présidé à la naissance de la pièce, tellement l'expérience s'est révélée féconde. Faire naître lentement la beauté, l'expérience aura été concluante.

Gilles Pellerin

13. Lors de l'entretien les comédiens révèlent que « la nouvelle obligeait à faire des raccourcis quand venait le temps de porter les éléments sur la scène ». Les professeurs pourront proposer à la classe de repérer ces rétrécissements dans le traitement et de se demander s'ils ne sont pas rendus possibles par le fait des superpositions d'éléments de signification que permet l'art polysémique du théâtre.

14. Repérables dans les didascalies.

ACHEVÉ D'IMPRIMER
EN SEPTEMBRE 2009
SUR LES PRESSES DE MARQUIS IMPRIMEUR INC.
SUR PAPIER SILVA ENVIRO
100% POSTCONSOMMATION